CLASSIQUES & CIE LYCÉE

Collection dirigée par
Johan Faerber

Claire de Duras

Ourika

(1823)

**Texte intégral
suivi d'un dossier Nouveau BAC
et d'un cahier Lecture cursive**

Édition annotée et commentée par
Johan Faerber
Certifié de lettres modernes
Docteur ès lettres modernes

un parcours «**Héros et héroïnes noirs dans la littérature**»

Hatier

sommaire

L'AVANT-TEXTE

POUR SITUER L'ŒUVRE DANS SON CONTEXTE

LE TEXTE

Ourika

Des clés pour la lecture linéaire

Bilan de *lecture*

© Hatier Paris 2023 - ISBN 978-2-401-08627-2

LE PARCOURS LITTÉRAIRE

POUR METTRE L'ŒUVRE EN PERSPECTIVE

Héros et héroïnes noirs dans la littérature française

I. Au siècle des Lumières : l'émergence du personnage noir

II. Au XIXe siècle : l'héroïsme du personnage noir

III. Aux XXe et XXIe siècles : du héros à l'écrivain noir

LE DOSSIER

POUR APPROFONDIR SA LECTURE ET S'ENTRAÎNER POUR LE BAC

Fiches de lecture

Prolongements artistiques et culturels

Le modèle noir en peinture, du XVIIIe au XXe siècle

Sujets de BAC

Cahier Lecture cursive

Conception graphique de la maquette Studio Favre & Lhaïk; pour la partie texte: c-album, Jean-Baptiste Taisne et Rachel Pfleger; Mise en pages: Eiffel publishing Ltd • Prépresse: Clarisse Mourain • Iconographie; Hatier Illustrations • Suivi éditorial: Delphine Livet

CLAIRE DE DURAS (1777-1828)

● L'héritière d'une fortune coloniale

• Petite-fille du gouverneur des Antilles et fille d'un contre-amiral, Claire de Kersaint est marquée dans sa jeunesse par la **liberté d'esprit** de son père. Luttant aux côtés des Révolutionnaires, cet aristocrate acquis aux **idéaux des Lumières** milite pour l'**abolition de l'esclavage**. Il sera pourtant guillotiné en 1793 pendant la Terreur, pour ne pas avoir voté la mort du roi.

• La vie de la jeune fille s'en trouve alors bouleversée : en exil à la Martinique dès 1795, elle s'occupe des plantations de sa mère, **ce qui la sensibilise au sort des esclaves**. Elle se réfugie ensuite en Angleterre et y épouse le duc de Duras.

● Une mondaine brillante et mélancolique

• La restauration de la monarchie en 1815 permet à Claire de Duras de revenir en France et de jouer un **rôle majeur à la cour** du roi Louis XVIII. Elle s'installe à Paris et tient un **salon qui devient vite célèbre**. Elle y reçoit notamment le scientifique Cuvelier et l'écrivain romantique François-René de Chateaubriand qui lui doit sa brillante carrière diplomatique.

• C'est à ce dernier qu'elle confie ses états d'âme : en proie à une **profonde mélancolie**, elle est rongée par la solitude malgré l'indéniable succès de son salon.

● Une vocation tardive d'écrivaine

• Accablée par la dépression, Claire de Duras se retire en 1821 à la campagne. Sur les conseils de Chateaubriand, elle y compose *Olivier*, *Édouard* et surtout *Ourika* qui lui assure une rapide renommée.

• Ourika, la jeune femme noire dont elle raconte l'histoire, est son **double littéraire**. Comme son héroïne, Claire de Duras est victime de la Terreur, puis de la solitude. Rattrapée par sa fragile santé, elle meurt d'épuisement à Nice, en 1828.

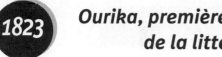

Ourika, première héroïne noire de la littérature

1823

Une histoire inspirée de faits réels

• *Ourika* s'inspire de deux histoires vraies. La première est celle de **Mademoiselle Aïssé**, petite fille circassienne de quatre ans, arrachée à l'esclavage en 1698 par Charles de Ferriol, ambassadeur de France à Constantinople, qui la confie à sa belle-sœur. La liaison tumultueuse que cette jeune fille, venue d'ailleurs, entretient avec le chevalier d'Aydie fait scandale à la cour.

• La seconde histoire inspire Claire de Duras jusqu'au prénom de l'héroïne. En 1786, le **chevalier de Boufflers**, gouverneur du Sénégal, confie à sa tante, la princesse de Beauvau-Craon, une esclave nommée

Page de titre de la troisième édition d'*Ourika*, 1826.

Ourika. Acceptée par le milieu aristocratique, l'adolescente fait l'admiration de tous mais meurt prématurément à seize ans d'une pneumonie.

Un phénomène de mode

• Alors que l'ouvrage est publié sous la Restauration (1814-1830), l'abolition de l'esclavage agite de nouveau l'opinion qui se passionne pour cette **première héroïne noire**.

• La nouvelle suscite un véritable phénomène de mode : elle est adaptée au théâtre, on s'habille à la façon d'Ourika, de nombreux objets de décoration d'intérieur reproduisent des scènes du récit (● IMAGE, p. 14).

De l'oubli à la redécouverte

• Pourtant, l'engouement pour cette héroïne, conçue par son autrice pour faire entendre la voix des femmes noires, s'estompe peu à peu. Son histoire tombe dans l'**oubli durant plus de deux siècles**.

• Il faudra attendre le XXIᵉ siècle pour qu'à la faveur des **combats antiracistes et féministes**, l'histoire d'Ourika soit redécouverte.

La place des Noirs en France, du Moyen Âge au XXIe siècle

Si l'histoire d'*Ourika* débute en 1786 à la fin de l'Ancien Régime au moment d
l'arrivée en France de l'héroïne, et si celle-ci connaît alors les tourments de l
Révolution française, le récit de Claire de Duras cherche avant tout à éclaire
son lecteur sur la situation des Noirs en France.

L'histoire de la minorité noire brièvement retracée ici permet de mieu
comprendre pourquoi Ourika est victime de sa couleur de peau.

La France du Moyen Âge, terre des hommes libres

• Le 3 juillet 1315, le roi de France Louis X, dit « le Hutin », publie un édit e
vertu duquel « le sol de France affranchit l'esclave qui le touche ». Précisan
que « Nul n'est esclave en France », « mère de libertés », l'édit royal régit l
vie sociale de la minorité noire durant tout le Moyen Âge.

• Essentiellement issus des Antilles, plus rarement d'Afrique, les Noirs sont
cette époque le plus souvent employés comme domestiques dans les famille
nobles ou bourgeoises.

L'esclavage à la Renaissance, un puissant enjeu commercia

• Alors qu'en 1571, une décision de la cour de justice de Bordeaux condamn
le commerce des Noirs sur le sol français venant confirmer l'opposition de l
France aux pratiques esclavagistes, l'esclavage devient pourtant, à la Renais
sance, un enjeu économique majeur du commerce triangulaire entre la France
ses possessions coloniales et les Amériques.

• Au XVIIe et XVIIIe siècles, trois lois sont successivement adoptées, qui légit
ment l'exploitation commerciale des Noirs. En 1642, Louis XIII autorise la trait
négrière afin d'avantager la France dans la réglementation de ses possession
coloniales d'Amérique. En 1685 est publié le *Code Noir* qui relègue les Noirs
l'état de marchandise. En 1716, une nouvelle loi vient corroborer cet état de fait
les Noirs arrivant en France ne sont plus automatiquement libres.

Le siècle des Lumières, entre violences et espoirs

• Au XVIIIe siècle, le durcissement législatif qui accentue la discrimination d
la minorité noire se poursuit. En 1738, l'édit de 1315 est aboli: les esclave

noirs arrivant sur le sol français ne peuvent plus réclamer la liberté. En 1777, la France promulgue l'interdiction pour les Noirs d'entrer dans le royaume. Enfin, en 1778, un décret interdit les unions mixtes.

• Parallèlement à ces mesures discriminatoires, les philosophes des Lumières prennent position en faveur de l'abolition de l'esclavage. **La Révolution met fin à la servitude des Noirs en abolissant l'esclavage en 1794.**

➤ Du XIXᵉ au XXIᵉ siècle : du rétablissement de l'esclavage à son abolition définitive

• Mais cette première abolition est remise en cause par **Napoléon Bonaparte qui rétablit l'esclavage et la traite négrière en 1802** afin de privilégier les intérêts commerciaux de la France, liés à la culture de la canne à sucre. En 1818, est prononcé un rappel de l'interdiction de séjour des Noirs sur le territoire français.

• Pourtant, dès 1821, est fondée la Société de la morale chrétienne qui rassemble des personnalités comme le duc de Broglie et Benjamin Constant qui se prononcent publiquement pour la fin de l'esclavage.

• Ce n'est toutefois que quarante-six ans après son rétablissement que **l'esclavage est définitivement aboli en 1848** dans les colonies françaises. En 2001, l'esclavage est reconnu comme crime contre l'humanité.

Estampe représentant l'abolition de l'esclavage en 1794.

Les Lumières

Mouvement littéraire et philosophique du XVIIIe siècle, les Lumières dénoncent les préjugés de la société et défendent des valeurs privilégiant la raison face à l'obscurantisme. Claire de Duras est héritière de ces valeurs.

S'opposer à la tyrannie

• La monarchie absolue de droit divin qui règne en France est l'objet des attaques les plus virulentes. Montesquieu, Voltaire et Diderot dénoncent les privilèges aristocratiques et **préconisent un modèle politique démocratique**.

Combattre l'intolérance

• Luttant contre toute forme de discrimination, les penseurs des Lumières **s'attaquent à l'intolérance religieuse**. Pour Voltaire qui en fait le constat à l'occasion de l'affaire Calas (1765), la diversité des croyances est à l'origine de violents conflits.

Défendre la liberté et l'égalité

• Les penseurs des Lumières **défendent la liberté d'expression** qu'ils jugent fondamentale. Or, sous l'Ancien Régime (1589-1789), penser librement revient à s'exposer à la censure qui a failli compromettre la réalisation de *L'Encyclopédie* (1751).

• Ils dénoncent l'esclavage des Noirs et réclament son abolition. Plus largement, les penseurs des Lumières **revendiquent la justice sociale pour tous**.

Détail de *La Réunion des Encyclopédistes à la maison de Diderot*, 1859.

Le romantisme

De 1820 à 1850, la vie culturelle, intellectuelle et littéraire est dominée en France par le mouvement romantique qui porte sur le monde un regard marqué par le désenchantement. Claire de Duras partage ce pessimisme mélancolique.

▶ Le « mal du siècle »

• En ce début du XIXe siècle, **la génération des jeunes poètes et romanciers est désabusée**. La Révolution française de 1789 a été incapable d'imposer durablement la démocratie. Et la Restauration (1814-1830) n'offre à ces jeunes aucune perspective d'avenir.

• « Né(s) trop tard dans un monde trop vieux », selon la formule d'Alfred de Musset, les jeunes écrivains n'éprouvent que **désillusion, mélancolie et ennui**, un dégoût de vivre que les romantiques nomment le « mal du siècle », dont souffrira Ourika.

▶ Le culte du Moi

• Lorsque la situation politique et sociale suscite déception et rejet, où se réfugier sinon en soi-même ? Tel est le parti pris désabusé du poète romantique qui se voit contraint de **porter son regard sur lui-même**.

• Mais ce culte du Moi va **au-delà du repli sur soi**. Il est aussi l'occasion d'une **ouverture aux autres**.

▶ Une littérature sociale ?

• Ainsi, des écrivains comme Victor Hugo ou Alphonse de Lamartine s'intéressent à la condition des hommes, donnant à leurs écrits une **portée universelle**. Dans son roman, *Les Misérables*, Hugo se penche sur le sort des laissés-pour-compte de la société que sa parole se charge de rétablir dans leur humanité.

• En relatant l'histoire d'Ourika, Claire de Duras est animée du même **désir de réhabilitation humaine et sociale**.

Pourquoi vous allez AIMER CE RÉCIT

▶ **Parce qu'*Ourika* DONNE la PAROLE à une FEMME NOIRE**

Ourika se livre à une double révolution. Révolution littéraire, d'abord : pour la première fois dans l'histoire de la littérature française, une jeune fille noire est le personnage principal d'un récit. À l'égale des grandes héroïnes romantiques de son temps, elle connaît un destin tragique. Révolution politique ensuite : Ourika prend la parole en son nom. Première narratrice noire, elle se fait le porte-parole de toutes les femmes qui souffrent de préjugés raciaux.

▶ **Parce qu'*Ourika* S'ÉCRIT au CARREFOUR de l'HISTOIRE**

Ourika offre l'exemple rare et précieux d'un texte écrit à la croisée de trois périodes historiques : la Révolution, l'Empire et la Restauration. Ces trois périodes historiques ont été traversées par trois mouvements littéraires et culturels : le classicisme, les Lumières et le romantisme qui ont certainement influencé l'écriture de Claire de Duras.
Née sous l'Ancien Régime, elle se nourrit de lectures classiques ; fille des Lumières, elle a soif d'égalité ; sensible au courant romantique, elle en partage la mélancolie et les désillusions.

▶ **Parce que *Claire de Duras* est une AUTRICE à REDÉCOUVRIR**

Lire *Ourika*, c'est découvrir une autrice que l'histoire littéraire a oubliée pendant plus de deux siècles. En dépit du succès de son récit lors de sa publication, Claire de Duras a été invisibilisée durant la période esclavagiste en raison du caractère inédit de son récit qui osait donner la parole à une femme noire. Cette autrice est à redécouvrir pour l'actualité de son combat antiraciste et féministe.

Ourika
(1823)

This is to be alone, this, this is solitude.

Byron[1]

Détail d'un vase en porcelaine de Sèvres, avec une scène du roman *Ourika* (vers 1823), château d'Ussé.

---

1. Citation tirée de *Le Pèlerinage de Childe Harold* (1812-1818), célèbre poème de l'écrivain romantique anglais Lord Byron (1788-1824): «C'est là ce que j'appelle être seul; c'est là, c'est là la solitude.» (chant II, strophe 26).

Introduction

J'étais arrivé depuis peu de mois de Montpellier[1], et je suivais à Paris la profession de la médecine, lorsque je fus appelé un matin au faubourg Saint-Jacques[2], pour voir dans un couvent une jeune religieuse malade. L'empereur Napoléon
5 avait permis depuis peu le rétablissement de quelques-uns de ces couvents[3] : celui où je me rendais était destiné à l'éducation de la jeunesse, et appartenait à l'ordre des Ursulines[4]. La Révolution avait ruiné une partie de l'édifice ; le cloître[5] était à découvert d'un côté par la démolition de l'antique église, dont
10 on ne voyait plus que quelques arceaux[6]. Une religieuse m'introduisit dans ce cloître, que nous traversâmes en marchant sur

Clés 1 > p. 18

---

1. Depuis le Moyen Âge, la faculté de médecine de Montpellier figurait parmi les facultés les plus réputées d'Europe.

2. Faubourg Saint-Jacques : quartier de Paris situé sur la rive gauche de la Seine.

3. Entre 1790 et 1792, l'Assemblée constituante, née de la Révolution française, supprime tout d'abord les ordres religieux avant d'ordonner la fermeture et la saisie des couvents. Il faut attendre, en 1804, le sacre de Napoléon 1er (1769-1821) pour que, à la faveur de la puissance retrouvée de l'Église, les couvents rouvrent progressivement.

4. Ursulines : placé sous le patronage de Sainte Ursule, l'ordre religieux catholique des Ursulines se consacre à l'éducation des jeunes filles ainsi qu'aux soins des malades et des pauvres.

5. Cloître : partie d'une maison religieuse constituée de galeries à colonnes qui encadrent le plus souvent une cour intérieure.

6. Arceaux : voûtes, arches.

de longues pierres plates qui formaient le pavé de ces galeries : je m'aperçus que c'étaient des tombes, car elles portaient toutes des inscriptions pour la plupart effacées par le temps. Quelques-unes de ces pierres avaient été brisées pendant la Révolution : la sœur me le fit remarquer, en me disant qu'on n'avait pas encore eu le temps de les réparer. Je n'avais jamais vu l'intérieur d'un couvent ; ce spectacle était tout nouveau pour moi. Du cloître nous passâmes dans le jardin, où la religieuse me dit qu'on avait porté la sœur malade : en effet, je l'aperçus à l'extrémité d'une longue allée de charmille[1] ; elle était assise, et son grand voile noir[2] l'enveloppait presque tout entière. « Voici le médecin », dit la sœur, et elle s'éloigna au même moment. Je m'approchai timidement, car mon cœur s'était serré en voyant ces tombes, et je me figurais que j'allais contempler une nouvelle victime des cloîtres[3] ; les préjugés de ma jeunesse venaient de se réveiller, et mon intérêt s'exaltait[4] pour celle que j'allais visiter, en proportion du genre de malheur que je lui supposais. Elle se tourna vers moi, et je fus étrangement surpris en apercevant une négresse[5] ! Mon étonnement s'accrut encore par

---

1. Allée de charmille : promenade plantée d'arbres formant une arche de verdure.

2. Grand voile noir : habit religieux propre à l'ordre des Ursulines.

3. Ici le narrateur fait référence au combat antireligieux de la philosophie des Lumières. En effet, les « victimes des cloîtres » renvoient ici aux nombreuses jeunes filles de bonne famille condamnées malgré elles à vivre au couvent pour des raisons sociales ou financières.

4. S'exaltait : s'enthousiasmait.

5. Une négresse : si, avec le développement du commerce triangulaire, les termes « nègre » et « négresse » sont alors fréquemment employés pour désigner un homme noir ou une femme noire, leur usage se révèle déjà péjoratif voire insultant car il renvoie avant tout à la condition d'esclave. En effet, dans le cadre du combat pour l'abolition de l'esclavage, les Lumières choisiront, dès le XVIIIe siècle, de parler de « Noir » ou de « Noire ».

la politesse de son accueil et le choix des expressions dont elle se servait. « Vous venez voir une personne bien malade, me dit-elle : à présent je désire guérir, mais je ne l'ai pas toujours souhaité, c'est peut-être ce qui m'a fait tant de mal. » Je la ques-

35 tionnai sur sa maladie. « J'éprouve, me dit-elle, une oppression[1] continuelle, je n'ai plus de sommeil, et la fièvre ne me quitte pas. » Son aspect ne confirmait que trop cette triste description de son état : sa maigreur était excessive, ses yeux brillants et fort grands, ses dents d'une blancheur éblouissante, éclairaient seuls

40 sa physionomie[2] ; l'âme vivait encore, mais le corps était détruit, et elle portait toutes les marques d'un long et violent chagrin. Touché au-delà de l'expression, je résolus de tout tenter pour la sauver ; je commençai à lui parler de la nécessité de calmer son imagination[3], de se distraire, d'éloigner des sentiments pénibles.

45 « Je suis heureuse, me dit-elle ; jamais je n'ai éprouvé tant de calme et de bonheur. » L'accent[4] de sa voix était sincère, cette douce voix ne pouvait tromper ; mais mon étonnement s'accroissait à chaque instant. « Vous n'avez pas toujours pensé ainsi, lui dis-je, et vous portez la trace de bien longues souf-

50 frances. – Il est vrai, dit-elle, j'ai trouvé bien tard le repos de mon cœur[5], mais à présent je suis heureuse. – Eh bien ! s'il en est ainsi, repris-je, c'est le passé qu'il faut guérir ; espérons que nous en viendrons à bout : mais ce passé, je ne puis le guérir sans le connaître. – Hélas ! répondit-elle, ce sont des folies[6] ! »

---

1. Oppression : pression exercée sur la poitrine qui coupe la respiration.
2. Physionomie : visage, figure.
3. Son imagination : ses rêveries, ses pensées qui divaguent.
4. L'accent : le ton.
5. Le repos de mon cœur : le calme, l'apaisement.
6. Des folies : des égarements, des caprices

📖 LIRE LE TEXTE

Lisez l'extrait à voix haute en suivant les indications suivantes.

• l. 01-18. Les premières lignes correspondent à la mise en place du cadre spatio-temporel du récit. Optez pour un ton descriptif.

• l. 18-31. Exprimez la surprise que dit ressentir le narrateur en découvrant que celle qu'il vient voir est une « négresse ».

• l. 31-46. Adoptez un ton résigné pour exprimer la mélancolie de la jeune femme.

💬 EXPLIQUER LE TEXTE

Pour introduire

Situer le texte

Le narrateur est un jeune médecin qui pénètre pour la première fois dans un couvent pour y soigner une jeune religieuse malade.

Formuler la problématique

Cet incipit répond à une triple fonction : poser le cadre spatio-temporel, donner des informations sur le personnage principal et annoncer le récit à venir. Dans quelle mesure installe-t-il un univers romantique ?

Le texte étape par étape

I Un incipit romantique (l. 01-18)

1. Où sommes-nous ? À quelle époque ? Qui raconte ?

▸ Relevez les termes qui renseignent sur la ville où se déroule le récit, sur le régime politique en place, sur l'identité du narrateur.

2. Quel est l'aspect des lieux ? En quoi renvoie-t-il à l'imaginaire romantique ?

▸ Relevez le champ lexical des ruines.

▸ Comment la Révolution française est-elle présentée ? En quoi est-ce une interprétation romantique (→ avant-texte, p. 11) ?

3. Que suggèrent les tombes ?

▸ Que laissent présager ces tombes de l'issue de la maladie de la religieuse ?

▸ Demandez-vous quelle vision de l'histoire elles symbolisent.

II Une héroïne noire (l. 18-31)

4. À quoi le narrateur fait-il référence quand il parle des « préjugés de sa jeunesse » ? Que s'imagine-t-il concernant la jeune religieuse ?

▸ Appuyez-vous sur l'expression : « une nouvelle victime des cloîtres ».

5. Quels mots traduisent l'intensité de sa surprise quand il découvre la malade ?

▸ De quel adverbe le narrateur use-t-il pour exprimer sa surprise ?

▸ Commentez l'usage du mot « négresse ».

6. Quels sont les autres motifs de sa surprise ?

▸ Quelles sont les deux qualités de cette jeune femme noire ?

▸ Que dit cette surprise des préjugés du narrateur ?

III Une religieuse mélancolique (l. 31-46)

7. La maladie de la religieuse est-elle physique ?

▸ Que confie la religieuse au narrateur dans sa première réplique (l. 32-34) ?

8. Pourquoi peut-on parler de mélancolie ?

▸ Quels symptômes confirment la nature du mal ?

▸ Quel nom est qualifié par les adjectifs « long et violent » ?

▸ Quel traitement propose le médecin ?

9. Comment interpréter les dernières paroles de la jeune femme (l. 45-46) ?

Conclusion

• Cet incipit annonce une œuvre marquée par l'imaginaire romantique.

• L'héroïne avoue avoir souffert d'un immense chagrin, dont on ignore encore la cause. Elle loge dans un couvent en ruines, détruit par la Révolution : la mort hante d'emblée le récit.

🔍 LA QUESTION DE GRAMMAIRE

10. « J'étais arrivé depuis peu de mois de Montpellier, et je suivais à Paris la profession de la médecine, lorsque je fus appelé un matin au faubourg Saint-Jacques, pour voir dans un couvent une jeune religieuse malade » (l. 01-04) :

1. Identifiez les verbes employés à un mode personnel.

2. Analysez leur forme et justifiez le temps employé.

▸ Vous devez relever 3 verbes conjugués à un mode personnel.

▸ Observez qu'ils sont à l'indicatif. À ce mode, l'action du verbe est présentée comme certaine.

🚶 POUR ALLER PLUS LOIN

11. Recherche lexicale • a. Relevez dans le texte des mots appartenant au champ lexical de la destruction et du malheur. **b.** En quoi l'emploi de ce champ lexical établit-il une correspondance entre les lieux et le personnage ?

12. Travail d'écriture • Lisez le texte de Victor Hugo (1802-1885) extrait de *Bug-Jargal* (p. 88-90). Montrez en quoi le héros noir de ce récit incarne, comme Ourika, une figure du romantisme. Rédigez votre réponse sous la forme d'un paragraphe.

▸ Bug-Jargal représente un romantisme engagé, inspiré par la vision hugolienne d'une humanité en marche vers plus de justice.

55 En prononçant ces mots, une larme vint mouiller le bord de sa paupière. « Et vous dites que vous êtes heureuse ! m'écriai-je. — Oui, je le suis, reprit-elle avec fermeté, et je ne changerais pas mon bonheur contre le sort qui m'a fait autrefois tant d'envie. Je n'ai point de secret : mon malheur, c'est l'histoire de toute
60 ma vie. J'ai tant souffert jusqu'au jour où je suis entrée dans cette maison, que peu à peu ma santé s'est ruinée. Je me sentais dépérir[1] avec joie, car je ne voyais dans l'avenir aucune espérance. Cette pensée était bien coupable ! vous le voyez, j'en suis punie ; et lorsque enfin je souhaite de vivre, peut-être que je ne
65 le pourrai plus. » Je la rassurai, je lui donnai des espérances de guérison prochaine ; mais en prononçant ces paroles consolantes, en lui promettant la vie, je ne sais quel triste pressentiment m'avertissait qu'il était trop tard et que la mort avait marqué sa victime.

70 Je revis plusieurs fois cette jeune religieuse ; l'intérêt que je lui montrais paraissait la toucher. Un jour, elle revint d'elle-même au sujet où je désirais la conduire. « Les chagrins que j'ai éprouvés, dit-elle, doivent paraître si étranges, que j'ai toujours senti une grande répugnance[2] à les confier : il n'y a
75 point de juges des peines des autres, les confidents sont presque toujours des accusateurs. — Ne craignez pas cela de moi, lui dis-je ; je vois assez le ravage que le chagrin a fait en vous pour croire le vôtre sincère. — Vous le trouverez sincère, dit-elle, mais il vous paraîtra déraisonnable. — Et en admettant ce que
80 vous dites, repris-je, cela exclut-il la sympathie ? — Presque toujours, répondit-elle ; mais cependant, si, pour me guérir,

---

1. **Dépérir** : mourir à petit feu.
2. **Répugnance** : dégoût, répulsion.

vous avez besoin de connaître les peines qui ont détruit ma
santé, je vous les confierai quand nous nous connaîtrons un
peu davantage. »

85   Je rendis mes visites au couvent de plus en plus fréquentes ;
le traitement que j'indiquai parut produire quelque effet.
Enfin, un jour de l'été dernier, la retrouvant seule dans le
même berceau[1], sur le même banc où je l'avais vue la première
fois, nous reprîmes la même conversation, et elle me conta ce
90   qui suit.

---

1. **Berceau** : voûte de feuillage couvrant une allée.

Ourika

Je fus rapportée du Sénégal[1] à l'âge de deux ans par M. le chevalier de B.[2], qui en était gouverneur. Il eut pitié de moi, un jour qu'il voyait embarquer des esclaves sur un bâtiment négrier[3] qui allait bientôt quitter le port : ma mère était morte, et on m'emportait dans le vaisseau, malgré mes cris. M. de B. m'acheta, et à son arrivée en France, il me donna à madame la maréchale de B., sa tante, la personne la plus aimable[4] de son temps, et celle qui sut réunir, aux qualités les plus élevées, la bonté la plus touchante.

Me sauver de l'esclavage, me choisir pour bienfaitrice madame de B., c'était me donner deux fois la vie : je fus ingrate[5] envers la Providence[6] en n'étant point heureuse ; et cependant

---

1. Plus ancienne colonie africaine de la France, le Sénégal s'impose dès le XVIIe siècle comme un support essentiel à la traite négrière.

2. Le récit de Claire de Duras s'inspire en partie d'une histoire vraie : en 1786, le chevalier de Boufflers, gouverneur depuis peu du Sénégal, sauve de l'esclavage une petite fille, prénommée Ourika, dont il fait don à sa tante, la princesse de Beauvau. Mais, emportée par la maladie, Ourika meurt tragiquement à l'âge de 16 ans.

3. Un bâtiment négrier : un navire chargé de convoyer les esclaves noirs depuis l'Afrique.

4. Aimable : appréciée.

5. Ingrate : sans reconnaissance.

6. La Providence : la puissance divine qui gouverne le destin du monde et préside à la protection des individus.

le bonheur résulte-t-il toujours de ces dons de l'intelligence?
Je croirais plutôt le contraire : il faut payer le bienfait de savoir
15 par le désir d'ignorer, et la fable ne nous dit pas si Galatée[1]
trouva le bonheur après avoir reçu la vie.

Je ne sus que longtemps après l'histoire des premiers jours
de mon enfance. Mes plus anciens souvenirs ne me retracent
que le salon[2] de madame de B. ; j'y passais ma vie, aimée d'elle,
20 caressée, gâtée par tous ses amis, accablée de présents, vantée,
exaltée[3] comme l'enfant le plus spirituel[4] et le plus aimable.

Le ton de cette société était l'engouement[5], mais un engouement dont le bon goût savait exclure tout ce qui ressemblait à
l'exagération : on louait tout ce qui prêtait à la louange[6], on
25 excusait tout ce qui prêtait au blâme[7], et souvent, par une adresse
encore plus aimable, on transformait en qualités les défauts
mêmes. Le succès donne du courage ; on valait près de madame
de B. tout ce qu'on pouvait valoir, et peut-être un peu plus, car
elle prêtait quelque chose d'elle à ses amis sans s'en douter elle-
30 même : en la voyant, en l'écoutant, on croyait lui ressembler.

Vêtue à l'orientale, assise aux pieds de madame de B., j'écoutais, sans la comprendre encore, la conversation des hommes les

---

1. Dans la mythologie grecque antique, Pygmalion, célèbre sculpteur de Chypre,
ne trouvant pas femme à son goût, décide de sculpter dans de l'ivoire une femme
idéale. Il supplie alors Aphrodite, déesse de l'amour, de donner vie à sa création.
C'est à partir du XVIIIe siècle que l'on a coutume d'appeler la statue « Galatée » en
référence à la blancheur de l'ivoire dans laquelle la femme a été sculptée.

2. Au XVIIIe siècle, le salon est un haut lieu de la vie sociale et intellectuelle.

3. Exaltée : encouragée, célébrée.

4. Spirituel : intelligent, pertinent.

5. Engouement : passion, enthousiasme.

6. On louait tout ce qui prêtait à la louange : on admirait tout ce qui était digne
d'être admiré.

7. Blâme : reproche.

plus distingués[1] de ce temps-là. Je n'avais rien de la turbulence des enfants ; j'étais pensive avant de penser, j'étais heureuse à
35 côté de madame de B. : aimer, pour moi, c'était être là, c'était l'entendre, lui obéir, la regarder surtout ; je ne désirais rien de plus. Je ne pouvais m'étonner de vivre au milieu du luxe, de n'être entourée que des personnes les plus spirituelles et les plus aimables ; je ne connaissais pas autre chose ; mais, sans le
40 savoir, je prenais un grand dédain[2] pour tout ce qui n'était pas ce monde où je passais ma vie. Le bon goût est à l'esprit ce qu'une oreille juste est aux sons. Encore toute enfant, le manque de goût me blessait ; je le sentais avant de pouvoir le définir, et l'habitude me l'avait rendu comme nécessaire. Cette
45 disposition[3] eût été dangereuse si j'avais eu un avenir ; mais je n'avais pas d'avenir, et je ne m'en doutais pas.

J'arrivai jusqu'à l'âge de douze ans sans avoir eu l'idée qu'on pouvait être heureuse autrement que je ne l'étais. Je n'étais pas fâchée[4] d'être une négresse : on me disait que j'étais
50 charmante ; d'ailleurs, rien ne m'avertissait que ce fût un désavantage ; je ne voyais presque pas d'autres enfants ; un seul était mon ami, et ma couleur noire ne l'empêchait pas de m'aimer.

Ma bienfaitrice avait deux petits-fils, enfants d'une fille qui
55 était morte jeune. Charles, le cadet, était à peu près de mon âge. Élevé avec moi, il était mon protecteur, mon conseil[5] et mon soutien dans toutes mes petites fautes. À sept ans, il alla

---

1. Distingués : supérieurs d'esprit.

2. Dédain : mépris, rejet.

3. Disposition : penchant.

4. Fâchée : contrariée.

5. Mon conseil : mon guide.

au collège[1] : je pleurai en le quittant ; ce fut ma première peine. Je pensais souvent à lui, mais je ne le voyais presque plus. Il étudiait, et moi, de mon côté, j'apprenais, pour plaire à madame de B., tout ce qui devait former une éducation parfaite. Elle voulut que j'eusse tous les talents : j'avais de la voix, les maîtres les plus habiles l'exercèrent ; j'avais le goût de la peinture, et un peintre célèbre, ami de madame de B., se chargea de diriger mes efforts ; j'appris l'anglais, l'italien, et madame de B. elle-même s'occupait de mes lectures. Elle guidait mon esprit, formait mon jugement[2] : en causant avec elle, en découvrant tous les trésors de son âme, je sentais la mienne s'élever, et c'était l'admiration qui m'ouvrait les voies de l'intelligence. Hélas ! je ne prévoyais pas que ces douces études seraient suivies de jours si amers[3] ; je ne pensais qu'à plaire à madame de B., un sourire d'approbation sur ses lèvres était tout mon avenir.

Cependant des lectures multipliées, celle des poètes surtout, commençaient à occuper ma jeune imagination ; mais, sans but, sans projet, je promenais au hasard mes pensées errantes[4], et, avec la confiance de mon jeune âge, je me disais que madame de B. saurait bien me rendre heureuse : sa tendresse pour moi, la vie que je menais, tout prolongeait mon erreur et autorisait mon aveuglement. Je vais vous donner un exemple des soins et des préférences dont j'étais l'objet.

---

1. Dans la société d'Ancien Régime, les garçons de la noblesse avaient droit à une éducation au collège tandis que les jeunes filles étaient instruites à la maison des tâches domestiques et mondaines.

2. Mon jugement : mon intelligence.

3. Amers : douloureux, tristes.

4. Je promenais mes pensées errantes : je laissais mes pensées vagabonder.

Portrait d'Ourika, de sa « bienfaitrice » la Maréchale de Beauvau et du mari de celle-ci le Maréchal de Beauvau, fin du XVIIIe siècle.

▶ En écho à ces portraits, l'œuvre qui figure sur le premier rabat de couverture représente Dido Elizabeth Belle (1761-1804), fille de l'amiral John Lindsay et d'une esclave noire, en compagnie de sa cousine. Cette jeune femme noire accueillie au sein d'une famille aristocratique n'est pas sans rappeler le personnage d'Ourika.

Vous aurez peut-être de la peine à croire, en me voyant aujourd'hui, que j'ai été citée pour l'élégance et la beauté de ma taille[1]. Madame de B. vantait souvent ce qu'elle appelait ma grâce, et elle avait voulu que je susse parfaitement danser. Pour faire briller ce talent, ma bienfaitrice donna un bal dont ses petits-fils furent le prétexte, mais dont le véritable motif était de me montrer fort à mon avantage dans un quadrille[2] des quatre parties du monde où je devais représenter l'Afrique. On consulta les voyageurs, on feuilleta les livres de costumes, on lut des ouvrages savants sur la musique africaine, enfin on choisit une *Comba*, danse nationale de mon pays. Mon danseur mit un crêpe[3] sur son visage : hélas ! je n'eus pas besoin d'en mettre un sur le mien ; mais je ne fis pas alors cette réflexion. Tout entière au plaisir du bal, je dansai la *Comba*, et j'eus tout le succès qu'on pouvait attendre de la nouveauté du spectacle et du choix des spectateurs, dont la plupart, amis de madame de B., s'enthousiasmaient pour moi, et croyaient lui faire plaisir en se laissant aller à toute la vivacité de ce sentiment. La danse d'ailleurs était piquante[4] ; elle se composait d'un mélange d'attitudes et de pas mesurés ; on y peignait l'amour, la douleur, le triomphe et le désespoir. Je ne connaissais encore aucun de ces mouvements violents de l'âme ; mais je ne sais quel instinct me les faisait deviner ; enfin je réussis. On m'applaudit, on m'entoura, on m'accabla d'éloges[5] : ce plaisir

---

1. **Ma taille** : ma stature, mon allure.
2. **Quadrille** : danse de salon alors à la mode dont les figures sont exécutées par quatre couples.
3. **Crêpe** : tissu noir souvent associé au deuil.
4. **Piquante** : originale, charmante.
5. **On m'accabla d'éloges** : on me couvrit de compliments.

fut sans mélange[1] ; rien ne troublait alors ma sécurité. Ce fut peu de jours après ce bal qu'une conversation, que j'entendis par hasard, ouvrit mes yeux et finit ma jeunesse.

Il y avait dans le salon de madame de B. un grand paravent[2] de laque[3]. Ce paravent cachait une porte ; mais il s'étendait aussi près d'une des fenêtres, et, entre le paravent et la fenêtre, se trouvait une table où je dessinais quelquefois. Un jour, je finissais avec application[4] une miniature[5] ; absorbée par mon travail, j'étais restée longtemps immobile, et sans doute madame de B. me croyait sortie, lorsqu'on annonça une de ses amies, la marquise de... C'était une personne d'une raison froide, d'un esprit tranchant[6], positive[7] jusqu'à la sécheresse ; elle portait ce caractère dans l'amitié : les sacrifices ne lui coûtaient rien pour le bien et pour l'avantage[8] de ses amis ; mais elle leur faisait payer cher ce grand attachement. Inquisitive et difficile[9], son exigence égalait son dévouement, et elle était la moins aimable des amies de madame de B. Je la craignais quoiqu'elle fût bonne[10] pour moi ; mais elle l'était à sa manière : examiner, et même assez sévèrement, était pour elle un signe d'intérêt. Hélas ! j'étais si accoutumée à la bienveillance, que la

---

1. Sans mélange : sans arrière-pensées, entier.

2. Paravent : luxueux meuble fait de panneaux verticaux articulés se pliant en accordéon, destiné à isoler des regards ou à protéger des courants d'air.

3. Laque : vernis rare noir ou rouge provenant de Chine.

4. Application : soin.

5. Miniature : peinture de petites dimensions aux couleurs fines.

6. D'un esprit tranchant : qui ne souffre aucune discussion.

7. Positive : objective, réaliste.

8. L'avantage : le bénéfice.

9. Inquisitive et difficile : très curieuse et ayant mauvais caractère.

10. Bonne : gentille.

Clés
2
> p. 33

justice me semblait toujours redoutable. « Pendant que nous sommes seules, dit madame de… à madame de B., je veux vous parler d'Ourika : elle devient charmante, son esprit est tout à fait formé[1], elle causera comme vous[2], elle est pleine de talents, elle est piquante[3], naturelle ; mais que deviendra-t-elle ? et enfin qu'en ferez-vous ? – Hélas ! dit madame de B., cette pensée m'occupe souvent, et, je vous l'avoue, toujours avec tristesse : je l'aime comme si elle était ma fille ; je ferais tout pour la rendre heureuse ; et cependant, lorsque je réfléchis à sa position[4], je la trouve sans remède[5]. Pauvre Ourika ! je la vois seule, pour toujours seule dans la vie ! »

Il me serait impossible de vous peindre l'effet que produisit en moi ce peu de paroles ; l'éclair n'est pas plus prompt[6] : je vis tout ; je me vis négresse, dépendante, méprisée, sans fortune, sans appui, sans un être de mon espèce à qui unir mon sort, jusqu'ici un jouet, un amusement pour ma bienfaitrice, bientôt rejetée d'un monde où je n'étais pas faite pour être admise. Une affreuse palpitation me saisit, mes yeux s'obscurcirent, le battement de mon cœur m'ôta un instant la faculté d'écouter encore ; enfin je me remis assez pour entendre la suite de cette conversation.

---

1. Son esprit est tout à fait formé : son éducation est achevée.

2. Elle causera comme vous : elle saura mener aussi bien que vous une conversation mondaine.

3. Piquante : charmante, vive.

4. Position : place dans la société. Dans la société française du XVIIIe siècle, la situation d'Ourika constitue une impasse. Alors que comme toute jeune femme de la noblesse elle est élevée dans le but de faire un beau mariage, sa peau noire lui interdit toute union avec un jeune homme noble car depuis l'édit royal de 1778, les mariages mixtes sont interdits.

5. Sans remède : sans issue.

6. Prompt : rapide.

« Je crains, disait madame de…, que vous ne la rendiez malheureuse. Que voulez-vous qui la satisfasse, maintenant qu'elle a passé sa vie dans l'intimité de votre société ? – Mais elle y restera, dit madame de B. – Oui, reprit madame de…,
150 tant qu'elle est une enfant : mais elle a quinze ans ; à qui la marierez-vous, avec l'esprit qu'elle a et l'éducation que vous lui avez donnée ? Qui voudra jamais épouser une négresse ? Et si, à force d'argent, vous trouvez quelqu'un qui consente à avoir des enfants nègres, ce sera un homme d'une condition
155 inférieure[1], et avec qui elle se trouvera malheureuse. Elle ne peut vouloir que de ceux qui ne voudront pas d'elle. – Tout cela est vrai, dit madame de B. ; mais heureusement elle ne s'en doute point encore, et elle a pour moi un attachement, qui, j'espère, la préservera longtemps de juger sa position. Pour la
160 rendre heureuse, il eût fallu en faire une personne commune : je crois sincèrement que cela était impossible. Eh bien ! peut-être sera-t-elle assez distinguée pour se placer au-dessus de son sort, n'ayant pu rester au-dessous. – Vous vous faites des chimères[2], dit madame de… : la philosophie[3] nous place
165 au-dessus des maux de la fortune[4], mais elle ne peut rien contre les maux qui viennent d'avoir brisé l'ordre de la nature. Ourika n'a pas rempli sa destinée : elle s'est placée dans la société sans sa permission ; la société se vengera. – Assurément, dit madame de B., elle est bien innocente de ce crime ; mais vous
170 êtes sévère pour cette pauvre enfant. – Je lui veux plus de bien

---

1. D'une condition inférieure : d'un rang social plus bas.

2. Chimères : illusions.

3. Philosophie : morale.

4. Maux de la fortune : malheurs du destin.

que vous, reprit madame de… ; je désire son bonheur et vous la perdez. » Madame de B. répondit avec impatience, et j'allais être la cause d'une querelle entre les deux amies, quand on annonça une visite : je me glissai derrière le paravent ; je 175 m'échappai ; je courus dans ma chambre, où un déluge de larmes soulagea un instant mon pauvre cœur.

C'était un grand changement dans ma vie, que la perte de ce prestige qui m'avait environnée jusqu'alors ! Il y a des illusions qui sont comme la lumière du jour ; quand on les perd, 180 tout disparaît avec elles. Dans la confusion des nouvelles idées qui m'assaillaient[1], je ne retrouvais plus rien de ce qui m'avait occupée jusqu'alors : c'était un abîme avec toutes ses terreurs. Ce mépris dont je me voyais poursuivie ; cette société où j'étais déplacée ; cet homme qui, à prix d'argent[2], consentirait peut-185 être que ses enfants fussent nègres ! toutes ces pensées s'élevaient successivement comme des fantômes et s'attachaient sur moi comme des furies[3] : l'isolement surtout ; cette conviction que j'étais seule, pour toujours seule dans la vie, madame de B. l'avait dit ; et à chaque instant je me répétais, seule ! pour 190 toujours seule ! La veille encore, que m'importait d'être seule ? je n'en savais rien ; je ne le sentais pas ; j'avais besoin de ce que j'aimais, je ne songeais pas que ce que j'aimais n'avait pas besoin de moi. Mais à présent, mes yeux étaient ouverts, et le malheur avait déjà fait entrer la défiance[4] dans mon âme.

---

1. M'assaillaient : m'attaquaient de toute part.
2. À prix d'argent : contre une importante somme d'argent que, par sa dot, la famille de la mariée garantit à l'époux.
3. Furies : dans la mythologie grecque, divinités infernales chargées d'exécuter la vengeance des dieux.
4. Défiance : méfiance.

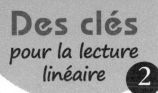

Des clés pour la lecture linéaire 2

📖 LIRE LE TEXTE

Lisez l'extrait à voix haute en suivant les indications suivantes.

• l. 126-145. Lisez le dialogue en opposant le ton énergique de la marquise au ton résigné de madame de B., la bienfaitrice d'Ourika.

• l. 146-163. Le ton d'Ourika doit être attristé, à la mesure de la terrible révélation dont elle est témoin.

• l. 163-176. Faites entendre l'assurance avec laquelle la marquise poursuit sa démonstration : Ourika est condamnée à vivre malheureuse.

💬 EXPLIQUER LE TEXTE

Pour introduire

Situer le texte dans l'œuvre

Dissimulée derrière un paravent, Ourika est témoin d'une conversation qui bouleverse son existence. Alors que le milieu aristocratique dans lequel elle grandit lui donne la même éducation qu'à une jeune femme blanche, elle apprend de la bouche de la marquise qu'elle n'y sera jamais acceptée.

Formuler la problématique

Dans quelle mesure ce dialogue exprime-t-il une vision de la société marquée par des préjugés raciaux ?

Le texte étape par étape

I Une révélation tragique (l. 126-145)

1. En quoi le portrait d'Ourika brossé par la marquise est-il valorisant ?

▸ Relevez les qualités d'Ourika énumérées par la marquise.

▸ Commentez notamment l'expression : « elle causera comme vous ».

2. Madame de B. est-elle surprise par les propos de la marquise ?

▸ Qu'évoque « avec tristesse » madame de B. ? Pourquoi ?

▸ Qu'expriment ses exclamations finales (l. 135-136) ?

3. Que ressent Ourika en écoutant cette conversation ?

▸ Que signifie l'expression : « l'éclair n'est pas plus prompt » ?

▸ Quels symptômes témoignent du choc ressenti ?

▐▐ Un constat implacable (l. 146-163)

4. Pourquoi la marquise juge-t-elle la situation d'Ourika comme une impasse ?

▸ Quel est le principal problème social auquel Ourika va se heurter en grandissant ?

▸ Expliquez la phrase : « Elle ne peut vouloir que de ceux qui ne voudront pas d'elle. »

5. Quels arguments madame de B. tente-t-elle d'opposer à la marquise ?

▸ Qu'est-ce qui protège encore Ourika du malheur annoncé ?

▸ Quelle qualité de la jeune femme pourrait, selon madame de B., lui permettre d'y échapper ?

▐▐▐ Des préjugés raciaux (l. 163-176)

6. En quoi Ourika « n'a[-t-elle] pas rempli sa destinée », selon madame de B. ?

▸ Pourquoi est-il dit d'Ourika qu'elle « [a] brisé l'ordre de la nature » ?

▸ Pourquoi est-il question d'une vengeance contre Ourika ?

7. Commentez le terme de « crime » dans la bouche de madame de B. (l. 169).

▸ Montrez que ce terme fait écho aux propos de la marquise.

▸ En quoi ce terme inverse-t-il les responsabilités du malheur social d'Ourika ?

8. Quelle la réaction finale d'Ourika ?

▸ Dans quel sens faut-il entendre : « Je m'échappai » ?

▸ De quelle prise de conscience le « déluge de larmes » est-il le signe ?

Conclusion

• Cette scène de révélation précipite le destin d'Ourika vers une tragédie à laquelle l'héroïne ne survivra pas.

• Elle prend conscience que sa couleur de peau la condamne – du fait des préjugés raciaux de son entourage aristocratique – et que cette déconsidération la privera de tout bonheur.

🔍 LA QUESTION DE GRAMMAIRE

9. « Que voulez-vous qui la satisfasse, maintenant qu'elle a passé sa vie dans l'intimité de votre société ? » (l. 147-148). À quel mode et quel temps est le verbe « satisfasse » ? Justifiez l'emploi du mode.

▸ Pensez que le verbe « satisfaire » se conjugue comme le verbe « faire ». Quel est le mode et le temps de la forme verbale « qu'il fasse » ?

▸ Rappelez-vous que le mode indicatif permet d'exprimer un fait certain et le mode subjonctif, un fait éventuel.

🏃 POUR ALLER PLUS LOIN

10. Recherche lexicale • Relevez dans le passage les mots et expressions qui renvoient à l'univers de la tragédie. Ces termes vous permettront de mettre en avant la douleur que cause à Ourika cette révélation.

▸ Vous devez relever des termes évoquant l'idée de destin (contre lequel on ne peut rien) et de malheur (non mérité).

11. Travail d'écriture • Visionnez le film *Les Caprices d'un fleuve* de Bernard Giraudeau (1996) (voir l'image p. 36) et faites-en une critique synthétique (en 1 000 signes max.), selon les étapes suivantes :

1. Énoncer les sources d'inspiration du réalisateur et résumer le film.
2. Déterminer la visée du film.
3. Exprimer son avis sur le film.

Les Caprices d'un fleuve, film de (et avec) Bernard Giraudeau dans le rôle du chevalier de Boufflers, 1996.

▶ *Les Caprices d'un fleuve* est inspiré de l'histoire vraie d'Ourika, recueillie au Sénégal par le chevalier de Boufflers (1738-1815), où il gouvernait un comptoir. Le film montre la transformation d'un aristocrate français, découvrant l'Afrique et les violences de l'esclavage.

195   Quand je revins chez madame de B., tout le monde fut frappé de mon changement; on me questionna: je dis que j'étais malade; on le crut. Madame de B. envoya chercher Barthez[1], qui m'examina avec soin, me tâta le pouls, et dit brusquement que je n'avais rien. Madame de B. se rassura, et essaya de me distraire

200   et de m'amuser. Je n'ose dire combien j'étais ingrate pour ces soins de ma bienfaitrice; mon âme s'était comme resserrée en elle-même. Les bienfaits qui sont doux[2] à recevoir, sont ceux dont le cœur s'acquitte[3]: le mien était rempli d'un sentiment trop amer pour se répandre au-dehors. Des combinaisons infi-

205   nies des mêmes pensées occupaient tout mon temps; elles se reproduisaient sous mille formes différentes: mon imagination leur prêtait les couleurs les plus sombres; souvent mes nuits entières se passaient à pleurer. J'épuisais ma pitié sur moi-même; ma figure[4] me faisait horreur, je n'osais plus me regarder

210   dans une glace; lorsque mes yeux se portaient sur mes mains noires, je croyais voir celles d'un singe; je m'exagérais ma laideur, et cette couleur me paraissait comme le signe de ma réprobation[5]; c'est elle qui me séparait de tous les êtres de mon espèce, qui me condamnait à être seule, toujours seule! jamais

215   aimée! Un homme, à prix d'argent, consentirait peut-être que ses enfants fussent nègres! Tout mon sang se soulevait d'indignation à cette pensée. J'eus un moment l'idée de demander à madame de B. de me renvoyer dans mon pays: mais là encore

---

1. Paul-Joseph Barthez (1734-1806): un des plus célèbres médecins du XVIIIe siècle, originaire de Montpellier.
2. Doux: agréables, réconfortants.
3. Ceux dont le cœur s'acquitte: ceux que le cœur accomplit.
4. Figure: visage.
5. Réprobation: condamnation, désapprobation.

j'aurais été isolée : qui m'aurait entendue, qui m'aurait comprise ?

220 Hélas ! je n'appartenais plus à personne[1], j'étais étrangère à la race humaine tout entière !

Ce n'est que bien longtemps après que je compris la possibilité de me résigner à un tel sort. Madame de B. n'était point dévote[2] ; je devais à un prêtre respectable, qui m'avait instruite

225 pour ma première communion, ce que j'avais de sentiments religieux. Ils étaient sincères comme tout mon caractère ; mais je ne savais pas que, pour être profitable, la piété[3] a besoin d'être mêlée à toutes les actions de la vie : la mienne avait occupé quelques instants de mes journées, mais elle était demeurée

230 étrangère à tout le reste. Mon confesseur[4] était un saint[5] vieillard, peu soupçonneux ; je le voyais deux ou trois fois par an, et, comme je n'imaginais pas que des chagrins fussent des fautes, je ne lui parlais pas de mes peines. Elles altéraient sensiblement[6] ma santé ; mais, chose étrange ! elles perfectionnaient mon

235 esprit. Un sage d'Orient a dit : « Celui qui n'a pas souffert, que sait-il[7] ? » Je vis que je ne savais rien avant mon malheur ; mes impressions étaient toutes des sentiments ; je ne jugeais pas ; j'aimais : les discours, les actions, les personnes plaisaient et déplaisaient à mon cœur. À présent, mon esprit s'était séparé

240 de ces mouvements involontaires : le chagrin est comme l'éloi-

---

1. Ourika rappelle ici qu'elle est sortie de sa condition d'esclave.

2. Dévote : pratiquante, personne dévouée aux pratiques religieuses.

3. Piété : dévotion religieuse.

4. Confesseur : dans la religion catholique, les fidèles peuvent confesser leurs péchés au prêtre qui a le pouvoir de les absoudre en leur accordant le pardon divin.

5. Saint : innocent, pur.

6. Altéraient sensiblement : dégradaient énormément.

7. Citation de Salomon, roi d'Israël, tirée de l'un des livres de l'Ancien Testament, *L'Ecclésiaste*.

gnement, il fait juger l'ensemble des objets. Depuis que je me sentais étrangère à tout, j'étais devenue plus difficile, et j'examinais, en le critiquant, presque tout ce qui m'avait plu jusqu'alors.

245   Cette disposition[1] ne pouvait échapper à madame de B. ; je n'ai jamais su si elle en devina la cause. Elle craignait peut-être d'exalter[2] ma peine en me permettant de la confier : mais elle me montrait encore plus de bonté que de coutume ; elle me parlait avec un entier abandon[3], et, pour me distraire de
250   mes chagrins, elle m'occupait de ceux qu'elle avait elle-même. Elle jugeait bien mon cœur ; je ne pouvais en effet me rattacher à la vie, que par l'idée d'être nécessaire ou du moins utile à ma bienfaitrice. La pensée qui me poursuivait le plus, c'est que j'étais isolée sur la terre, et que je pouvais mourir
255   sans laisser de regrets dans le cœur de personne. J'étais injuste pour madame de B. ; elle m'aimait, elle me l'avait assez prouvé ; mais elle avait des intérêts qui passaient bien avant moi. Je n'enviais pas sa tendresse à ses petits-fils, surtout à Charles ; mais j'aurais voulu pouvoir dire comme eux : « Ma
260   mère ! »

Les liens de famille surtout me faisaient faire des retours bien douloureux sur moi-même, moi qui jamais ne devais être la sœur, la femme, la mère de personne ! Je me figurais[4] dans ces liens plus de douceur qu'ils n'en ont peut-être, et je négli-
265   geais ceux qui m'étaient permis, parce que je ne pouvais

---

1. **Disposition** : humeur.
2. **Exalter** : accroître.
3. **Avec un entier abandon** : en me faisant entièrement confiance.
4. **Je me figurais** : je m'imaginais.

atteindre à ceux-là. Je n'avais point d'amie, personne n'avait ma confiance ; ce que j'avais pour madame de B. était plutôt un culte[1] qu'une affection ; mais je crois que je sentais pour Charles tout ce qu'on éprouve pour un frère.

270 Il était toujours au collège, qu'il allait bientôt quitter pour commencer ses voyages. Il partait avec son frère aîné et son gouverneur[2], et ils devaient visiter l'Allemagne, l'Angleterre et l'Italie ; leur absence devait durer deux ans[3]. Charles était charmé de partir ; et moi, je ne fus affligée qu'au dernier
275 moment ; car j'étais toujours bien aise[4] de ce qui lui faisait plaisir. Je ne lui avais rien dit de toutes les idées qui m'occupaient ; je ne le voyais jamais seul, et il m'aurait fallu bien du temps pour lui expliquer ma peine ; je suis sûre qu'alors il m'aurait comprise. Mais il avait, avec son air doux et grave, une
280 disposition à la moquerie qui me rendait timide : il est vrai qu'il ne l'exerçait guère que sur les ridicules de l'affectation[5] ; tout ce qui était sincère le désarmait. Enfin je ne lui dis rien. Son départ, d'ailleurs, était une distraction, et je crois que cela me faisait du bien de m'affliger d'autre chose que de ma douleur habituelle.

Clés
3
> p. 44

Ce fut peu de temps après le départ de Charles, que la Révolution prit un caractère plus sérieux[6] : je n'entendais

---

1. **Culte** : adoration aveugle.

2. **Gouverneur** : professeur particulier chargé de l'instruction des garçons de bonne famille.

3. Dans le cadre de ce qui était alors appelé le « grand tour », les nobles voyageaient longuement à l'étranger afin de parfaire leur éducation morale et artistique.

4. **Bien aise** : contente.

5. **Affectation** : manque de naturel.

6. Il s'agit ici de la Révolution française qui, à partir de 1789, mit fin au régime de la monarchie absolue.

parler tout le jour, dans le salon de madame de B., que des grands intérêts moraux et politiques que cette Révolution
290 remua jusque dans leur source ; ils se rattachaient à ce qui avait occupé les esprits supérieurs de tous les temps. Rien n'était plus capable d'étendre et de former mes idées, que le spectacle de cette arène[1] où des hommes distingués[5] remettaient chaque jour en question tout ce qu'on avait pu croire
295 jugé jusqu'alors. Ils approfondissaient tous les sujets, remontaient à l'origine de toutes les institutions, mais trop souvent pour tout ébranler[3] et pour tout détruire.

Croiriez-vous que, jeune comme j'étais, étrangère à tous les intérêts de la société, nourrissant à part ma plaie secrète, la
300 Révolution apporta un changement dans mes idées, fit naître dans mon cœur quelques espérances, et suspendit un moment mes maux ? tant on cherche vite ce qui peut consoler ! J'entrevis donc que, dans ce grand désordre, je pourrais trouver ma place ; que toutes les fortunes renversées, tous les rangs
305 confondus, tous les préjugés évanouis[4], amèneraient peut-être un état de choses où je serais moins étrangère ; et que si j'avais quelque supériorité d'âme, quelque qualité cachée, on l'apprécierait lorsque ma couleur ne m'isolerait plus au milieu du monde, comme elle avait fait jusqu'alors. Mais il arriva que
310 ces qualités mêmes que je pouvais me trouver s'opposèrent

---

1. Arène : lieu de débat.

2. Les philosophes qui débattent dans le salon de madame de B. sont des penseurs issus des Lumières.

3. Ébranler : remettre profondément en cause.

4. Ourika fait encore allusion ici à la profonde remise en question de la société française provoquée par la Révolution française qui mit notamment fin à une partie des privilèges des nobles.

vite à mon illusion : je ne pus désirer longtemps beaucoup de
mal pour un peu de bien personnel. D'un autre côté, j'aperce-
vais les ridicules[1] de ces personnages qui voulaient maîtriser
les événements ; je jugeais les petitesses de leurs caractères, je
315 devinais leurs vues[2] secrètes : bientôt leur fausse philanthropie
cessa de m'abuser[3], et je renonçai à l'espérance, en voyant qu'il
resterait encore assez de mépris pour moi au milieu de tant
d'adversités. Cependant je m'intéressais toujours à ces discussions animées ; mais elles ne tardèrent pas à perdre ce qui
320 faisait leur plus grand charme. Déjà le temps n'était plus où
l'on ne songeait qu'à plaire, et où la première condition pour
y réussir était l'oubli des succès de son amour-propre : lorsque
la Révolution cessa d'être une belle théorie et qu'elle toucha
aux intérêts intimes de chacun, les conversations dégéné-
325 rèrent en disputes, et l'aigreur, l'amertume et les personnalités prirent la place de la raison[4]. Quelquefois, malgré ma
tristesse, je m'amusais de toutes ces violentes opinions qui
n'étaient au fond presque jamais que des prétentions, des
affectations[5] ou des peurs : mais la gaîté qui vient de l'obser-
330 vation des ridicules ne fait pas de bien ; il y a trop de malignité
dans cette gaîté[6], pour qu'elle puisse réjouir le cœur qui ne se

---

1. Ridicules : prétentions.

2. Vues : buts, visées.

3. Leur fausse philanthropie cessa de m'abuser : je compris que leur compassion était hypocrite.

4. Ourika laisse entendre que les philosophes des Lumières qui fréquentent le salon de madame de B. sont favorables aux idées de la Révolution tant qu'elles ne touchent pas à leurs privilèges sociaux et économiques.

5. Affectations : prises de position sans réelle conviction.

6. Il y a trop de malignité dans cette gaîté : il y a trop de méchanceté dans cette joie.

plaît que dans les joies innocentes. On peut avoir cette gaîté moqueuse, sans cesser d'être malheureux ; peut-être même le malheur rend-il plus susceptible de l'éprouver, car l'amer-
335 tume dont l'âme se nourrit, fait l'aliment habituel de ce triste plaisir[1].

L'espoir sitôt[2] détruit que m'avait inspiré la Révolution n'avait point changé la situation de mon âme ; toujours mécontente de mon sort, mes chagrins n'étaient adoucis que par la
340 confiance et les bontés de madame de B. Quelquefois, au milieu de ces conversations politiques dont elle ne pouvait réussir à calmer l'aigreur[3], elle me regardait tristement : ce regard était un baume[4] pour mon cœur ; il semblait me dire : « Ourika, vous seule m'entendez ! »

345 On commençait à parler de la liberté des nègres[5] : il était impossible que cette question ne me touchât vivement ; c'était une illusion que j'aimais encore à me faire, qu'ailleurs, du moins, j'avais des semblables : comme ils étaient malheureux, je les croyais bons, et je m'intéressais à leur
350 sort. Hélas ! je fus promptement détrompée[6] ! Les massacres

---

1. Ce triste plaisir : les moqueries, les médisances.

2. Sitôt : aussitôt.

3. Aigreur : ressentiment.

4. Baume : apaisement.

5. La question de l'abolition de l'esclavage s'impose progressivement tout au long du XVIIIᵉ siècle : présente au sein même du gouvernement de Louis XVI, elle donne lieu à la création dès 1788 de la société des Amis des Noirs qui propose l'affranchissement progressif des esclaves des colonies. Le 4 février 1794, sous la Convention, est enfin votée l'abolition de l'esclavage avant que celui-ci ne soit rétabli en 1802. C'est finalement sous la IIᵉ République, le 4 mars 1848, que l'esclavage sera définitivement supprimé.

6. Je fus promptement détrompée : je fus rapidement déçue.

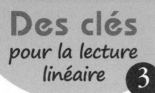

Des clés
pour la lecture
linéaire **3**

La Révolution,
source de désillusion
→ **pages 40-43, l. 286 à 336**

📖 LIRE LE TEXTE

Lisez l'extrait à voix haute en suivant les indications suivantes.

• l. 286-297. Prenez un ton neutre pour rapporter les événements historiques dont est témoin l'héroïne.

• l. 298-312. Ourika interpelle le narrateur : « Croiriez-vous que, jeune comme j'étais [...] ? ». Faites sentir l'espoir que font naître en elle les idéaux révolutionnaires.

• l. 312-336. Le « D'un autre côté » annonce un changement de ton. Ourika rend compte de sa désillusion, avec une lucidité teintée d'ironie. Vous pouvez exprimer celle-ci en accentuant ces mots : « ridicules », « fausse philanthropie », « belle théorie ».

💬 EXPLIQUER LE TEXTE

Pour introduire

Situer le texte dans l'œuvre

Ourika poursuit son récit de vie.
Nous sommes à la veille de la Révolution française. Les idéaux d'égalité et de liberté, qui se diffusent dans tous les milieux de la société, ne peuvent laisser Ourika indifférente : ils lui font espérer ne plus subir les préjugés raciaux dont elle est victime.

Formuler la problématique

Mais la Révolution s'avère finalement n'être qu'une illusion de plus pour la jeune femme noire. Comment ce texte rend-il compte de sa désillusion ?

Le texte étape par étape

I La tourmente révolutionnaire (l. 286-297)

1. Comment Ourika perçoit-elle la Révolution française à ses débuts ?

▸ Montrez que, pour Ourika, la Révolution prend d'abord la forme d'un débat d'idées. Faites le lien avec ce que vous savez de la philosophie des Lumières.

2. Quelles réserves Ourika émet-elle d'emblée sur la Révolution ?

▸ Commentez le mot « arène » (l. 293).

▸ Relevez deux verbes qui témoignent de la distance qu'Ourika prend avec le projet révolutionnaire.

II L'espoir de devenir « moins étrangère » (l. 298-312)

3. Montrez qu'Ourika poursuit son récit sur un ton plus animé.

▸ Notez l'adresse au narrateur.

▸ Observez la construction des phrases (type, rupture de construction, rythme ample).

4. Quels espoirs la Révolution fait-elle naître chez Ourika ?

▸ Quelle est sa « plaie secrète » ? Comment la Révolution peut-elle la soigner ?

▸ Reformulez ce qu'Ourika espère quand la couleur de peau ne sera plus discriminante.

5. En vous appuyant sur la dernière phrase du passage (l. 311-312), montrez la droiture morale du personnage.

▸ Demandez-vous si Ourika raisonne en fonction de son intérêt personnel.

III La fin des illusions (l. 312-336)

6. Pourquoi Ourika parle-t-elle des « ridicules » des révolutionnaires ?

▸ Définissez le mot « philanthropie » ? Pourquoi celle des révolutionnaires est-elle qualifiée par Ourika de « fausse » ?

7. Que se passe-t-il, selon Ourika, quand la Révolution cesse d'être « une belle théorie » ?

▸ Qu'est-ce qui se substitue alors à la raison défendue par les Lumières ?

8. En quoi son point de vue sur l'histoire peut-il être qualifié de « romantique » ?

▸ Montrez comment à l'enthousiasme initial succède un « triste plaisir ».

Conclusion

• Aux espoirs soulevés par la Révolution, qui promettait à Ourika l'égalité, succède une violente désillusion.

• La jeune fille noire qui pensait ne plus être discriminée pour sa couleur de peau se voit désormais sans avenir. Plus que jamais, le regard qu'elle porte sur l'histoire est un regard romantique.

🔍 LA QUESTION DE GRAMMAIRE

9. Dans la phrase « L'espoir sitôt détruit que m'avait inspiré la Révolution n'avait point changé la situation de mon âme » (l. 337-338), relevez la subordonnée relative et analysez-la.

▸ Délimitez la subordonnée relative. Puis précisez les fonctions de la relative et du pronom relatif qui l'introduit.

🚶 POUR ALLER PLUS LOIN

10. Recherche lexicale • Relevez aux lignes 318-336 les termes dévalorisants exprimant le triomphe des « intérêts intimes » sur l'intérêt général.

▸ Ces termes sont mentionnés dans des énumérations.

11. Travail d'écriture • À partir du *Portrait du citoyen Belley* d'Anne-Louis Girodet (voir l'image sur le rabat en couverture), vous vous intéresserez – dans le cadre d'un exposé oral – à la figure du premier député noir de l'histoire de France : Jean-Baptiste Belley.

▸ Votre exposé pourra s'articuler en trois étapes : 1. description du tableau (composition) ; 2. présentation du député noir (courte biographie) ; 3. réception de la peinture au Salon de 1797.

▸ Vous pouvez consulter le site histoire-image.org : https://histoire-image. org/etudes/jean-baptiste-belley-depute-saint-domingue-convention

de Saint-Domingue[1] me causèrent une douleur nouvelle et déchirante : jusqu'ici je m'étais affligée d'appartenir à une race proscrite[2] ; maintenant j'avais honte d'appartenir à une race de barbares et d'assassins.

355   Cependant la Révolution faisait des progrès rapides ; on s'effrayait en voyant les hommes les plus violents s'emparer de toutes les places. Bientôt il parut[3] que ces hommes étaient décidés à ne rien respecter : les affreuses journées du 20 juin et du 10 août[4] durent préparer à tout. Ce qui restait de la
360   société[5] de madame de B. se dispersa à cette époque ; les uns fuyaient les persécutions dans les pays étrangers ; les autres se cachaient et se retiraient en province. Madame de B. ne fit ni l'un ni l'autre ; elle était fixée chez elle par l'occupation constante de son cœur : elle resta avec un souvenir et près d'un
365   tombeau[6].

Nous vivions depuis quelques mois dans la solitude, lorsque, à la fin de l'année 1792, parut le décret de confiscation des biens

---

1. En août 1791, les esclaves de la colonie française de Saint-Domingue se soulevèrent contre les colons. Les plantations du Nord de cette île des Grandes Antilles furent entièrement détruites et plus d'un millier de colons massacrés. En 1804, sous le nom de Haïti, cette île devient la première république indépendante noire du monde.

2. Proscrite : rejetée, mise à l'index.

3. Parut : sembla.

4. Le 20 juin 1792, suite au refus du roi Louis XVI d'appliquer les lois pour protéger la France de l'invasion prussienne, les révolutionnaires envahissent les Tuileries, alors résidence royale. Pour prouver qu'il n'est pas hostile au peuple, le monarque est obligé de se coiffer du bonnet phrygien révolutionnaire. Le 10 août 1792, les révolutionnaires s'attaquent de nouveau aux Tuileries pour détrôner le roi accusé de mettre en danger la Nation. C'est la fin de la monarchie constitutionnelle.

5. Société : entourage, compagnie.

6. Madame de B. choisit de rester près de la tombe de son défunt mari.

des émigrés[1]. Au milieu de ce désastre général, madame de B. n'aurait pas compté la perte de sa fortune, si elle n'eût appartenu à ses petits-fils ; mais, par des arrangements de famille, elle n'en avait que la jouissance. Elle se décida donc à faire revenir Charles, le plus jeune des deux frères, et à envoyer l'aîné, âgé de près de vingt ans, à l'armée de Condé[2]. Ils étaient alors en Italie, et achevaient ce grand voyage[3], entrepris, deux ans auparavant, dans des circonstances bien différentes. Charles arriva à Paris au commencement de février 1793, peu de temps après la mort du roi[4].

Ce grand crime avait causé à madame de B. la plus violente douleur ; elle s'y livrait tout entière[5], et son âme était assez forte pour proportionner l'horreur du forfait[6] à l'immensité du forfait même. Les grandes douleurs, dans la vieillesse, ont quelque chose de frappant : elles ont pour elles l'autorité de la raison. Madame de B. souffrait avec toute l'énergie de son caractère ; sa santé en était altérée[7], mais je n'imaginais pas qu'on pût essayer de la consoler, ou même de la distraire. Je pleurais, je m'unissais à ses sentiments, j'essayais d'élever mon

---

1. En 1792, l'Assemblée législative décrète la confiscation des biens des émigrés absents de France depuis juillet 1789. Car devant l'ampleur de la Révolution, plus de 140 000 Français, dont un grand nombre de nobles, avaient fui le pays.

2. Fondée en 1791, l'armée de Condé est une force militaire contre-révolutionnaire de nobles émigrés à l'étranger dont le but est de restaurer, par les armes, l'Ancien Régime.

3. Allusion au « grand tour » de Charles qui a voyagé à l'étranger pour parfaire son éducation.

4. Le roi Louis XVI, reconnu coupable de conspiration contre la liberté et la sûreté de l'État, fut décapité le 21 janvier 1793.

5. Elle s'y livrait tout entière : elle ne cessait de pleurer la mort du roi.

6. Forfait : crime majeur.

7. Altérée : dégradée.

âme pour la rapprocher de la sienne, pour souffrir du moins autant qu'elle et avec elle.

390 Je ne pensai presque pas à mes peines, tant que dura la Terreur[1] ; j'aurais eu honte de me trouver malheureuse en présence de ces grandes infortunes[2] ; d'ailleurs je ne me sentais plus isolée depuis que tout le monde était malheureux. L'opinion est comme une patrie ; c'est un bien dont on jouit ensemble ; on est frère pour la soutenir et pour la défendre. Je me disais quel-
395 quefois que moi, pauvre négresse, je tenais pourtant à toutes les âmes élevées, par le besoin de la justice que j'éprouvais en commun avec elles : le jour du triomphe de la vertu et de la vérité serait un jour le triomphe pour moi comme pour elles ; mais, hélas ! ce jour était bien loin.

400 Aussitôt que Charles fut arrivé, madame de B. partit pour la campagne. Tous ses amis étaient cachés ou en fuite ; sa société se trouvait presque réduite à un vieil abbé que, depuis dix ans, j'entendais tous les jours se moquer de la religion, et qui à présent s'irritait qu'on eût vendu les biens du clergé, parce qu'il
405 y perdait vingt mille livres de rente[3]. Cet abbé vint avec nous à Saint-Germain[4]. Sa société était douce, ou plutôt elle était tranquille ; car son calme n'avait rien de doux ; il venait de la tournure de son esprit plutôt que de la paix de son cœur.

---

1. La Terreur est une période révolutionnaire qui, de 1793 à 1794, se caractérisa par l'exécution de tous les opposants au régime.

2. Infortunes : malheurs.

3. La rente est un revenu périodique généré par des biens immobiliers. Ici il s'agit d'environ 25 000 euros.

4. Situé à une vingtaine de kilomètres de Paris, Saint-Germain est une commune, notamment connue pour sa vaste forêt, où a vécu la famille Beauvau qui a inspiré en partie la duchesse de Duras (voir note 2, p. 23).

Madame de B. avait été toute sa vie dans la position de rendre
410 beaucoup de services ; liée avec M. de Choiseul[1], elle avait pu,
pendant ce long ministère, être utile à bien des gens. Deux des
hommes les plus influents[2] pendant la Terreur avaient des obligations[3] à madame de B. ; ils s'en souvinrent et se montrèrent
reconnaissants. Veillant sans cesse sur elle, ils ne permirent pas
415 qu'elle fût atteinte ; ils risquèrent plusieurs fois leurs vies pour
dérober la sienne aux fureurs révolutionnaires[4] : car on doit
remarquer qu'à cette époque funeste[5], les chefs mêmes des partis
les plus violents ne pouvaient faire un peu de bien sans danger ;
il semblait que, sur cette terre désolée, on ne pût régner que par
420 le mal, tant lui seul donnait et ôtait la puissance. Madame de B.
n'alla point en prison ; elle fut gardée[6] chez elle, sous prétexte de
sa mauvaise santé. Charles, l'abbé et moi nous restâmes auprès
d'elle et nous lui donnions tous nos soins.

Rien ne peut peindre l'état d'anxiété et de terreur des journées
425 que nous passâmes alors, lisant chaque soir, dans les journaux,
la condamnation et la mort des amis de madame de B., et trem-
blant à tout instant que ses protecteurs n'eussent plus le
pouvoir de la garantir[7] du même sort. Nous sûmes qu'en effet
elle était au moment de périr, lorsque la mort de Robespierre[8]

---

1. De 1758 à 1770, le duc Étienne François de Choiseul (1719-1785) fut le chef
du gouvernement de Louis XV.

2. Influents : puissants.

3. Obligations : engagements.

4. Allusion aux 2 500 opposants décapités durant la Terreur.

5. Funeste : malheureuse.

6. Fut gardée : resta.

7. Garantir : préserver.

8. Maximilien de Robespierre (1758-1794) : homme politique français, principal
artisan de la Terreur.

430 mit un terme à tant d'horreurs. On respira ; les gardes quit-
tèrent la maison de madame de B., et nous restâmes tous quatre
dans la même solitude, comme on se retrouve, j'imagine, après
une grande calamité[1] à laquelle on a échappé ensemble. On
aurait cru que tous les liens s'étaient resserrés par le malheur :
435 j'avais senti que là, du moins, je n'étais pas étrangère.

Si j'ai connu quelques instants doux dans ma vie, depuis la
perte des illusions de mon enfance, c'est l'époque qui suivit ces
temps désastreux. Madame de B. possédait au suprême degré
ce qui fait le charme de la vie intérieure : indulgente et facile[2],
440 on pouvait tout dire devant elle ; elle savait deviner ce que
voulait dire ce qu'on avait dit. Jamais une interprétation sévère
ou infidèle[3] ne venait glacer la confiance ; les pensées passaient
pour ce qu'elles valaient ; on n'était responsable de rien. Cette
qualité eût fait le bonheur des amis de madame de B. quand
445 bien même elle n'eût possédé que celle-là. Mais combien d'autres
grâces n'avait-elle pas encore ! Jamais on ne sentait de vide ni
d'ennui dans sa conversation ; tout lui servait d'aliment[4] :
l'intérêt qu'on prend aux petites choses, qui est de la futilité[5]
dans les personnes communes, est la source de mille plaisirs
450 avec une personne distinguée ; car c'est le propre des esprits
supérieurs, de faire quelque chose de rien. L'idée la plus ordi-
naire devenait féconde si elle passait par la bouche de madame
de B. ; son esprit et sa raison savaient la revêtir de mille nouvelles
couleurs.

---

1. Calamité : terrible malheur.
2. Indulgente et facile : bienveillante et douce.
3. Infidèle : injuste.
4. Tout lui servait d'aliment : n'importe quel événement nourrissait sa conversation.
5. Futilité : frivolité.

455   Charles avait des rapports de caractère[1] avec madame de B.,
et son esprit aussi ressemblait au sien, c'est-à-dire qu'il était ce
que celui de madame de B. avait dû être, juste, ferme, étendu,
mais sans modifications[2]; la jeunesse ne les connaît pas: pour elle
tout est bien ou tout est mal, tandis que l'écueil[3] de la vieillesse
460   est souvent de trouver que rien n'est tout à fait bien, et rien tout
à fait mal. Charles avait les deux belles passions de son âge, la
justice et la vérité. J'ai dit qu'il haïssait jusqu'à l'ombre de l'affectation; il avait le défaut d'en voir quelquefois où il n'y en avait
pas. Habituellement contenu[4], sa confiance était flatteuse; on
465   voyait qu'il la donnait, qu'elle était le fruit de l'estime, et non le
penchant de son caractère: tout ce qu'il accordait avait du prix[5],
car presque rien en lui n'était involontaire, et tout cependant
était naturel. Il comptait tellement sur moi, qu'il n'avait pas une
pensée qu'il ne me dît aussitôt. Le soir, assis autour d'une table,
470   les conversations étaient infinies: notre vieil abbé y tenait sa
place; il s'était fait un enchaînement si complet d'idées fausses,
et il les soutenait avec tant de bonne foi, qu'il était une source
inépuisable d'amusement pour madame de B., dont l'esprit juste
et lumineux faisait admirablement ressortir les absurdités du
475   pauvre abbé, qui ne se fâchait jamais; elle jetait tout au travers
de son *ordre d'idées*, de grands traits de bon sens que nous compa-
rions aux grands coups d'épée de Roland ou de Charlemagne[6].

---

1. Avait des rapports de caractère: avait un caractère très proche.
2. Sans modifications: sans nuance.
3. Écueil: danger.
4. Habituellement contenu: d'un naturel réservé.
5. Du prix: de la valeur.
6. Allusion ici à Roland et Charlemagne, héros de l'épopée médiévale de *La Chanson de Roland* (XIᵉ siècle).

Madame de B. aimait à marcher ; elle se promenait tous les matins dans la forêt de Saint-Germain, donnant le bras à 480 l'abbé ; Charles et moi nous la suivions de loin. C'est alors qu'il me parlait de tout ce qui l'occupait, de ses projets, de ses espérances, de ses idées surtout sur les choses, sur les hommes, sur les événements. Il ne me cachait rien, et il ne se doutait pas qu'il me confiât quelque chose. Depuis si longtemps il comp-485 tait sur moi, que mon amitié était pour lui comme sa vie ; il en jouissait sans la sentir ; il ne me demandait ni intérêt ni attention ; il savait bien qu'en me parlant de lui, il me parlait de moi, et que j'étais plus *lui* que lui-même : charme d'une telle confiance, vous pouvez tout remplacer, remplacer le bonheur 490 même !

Je ne pensais jamais à parler à Charles de ce qui m'avait fait tant souffrir ; je l'écoutais, et ses conversations avaient sur moi je ne sais quel effet magique, qui amenait l'oubli de mes peines. S'il m'eût questionnée, il m'en eût fait souvenir ; alors je lui 495 aurais tout dit : mais il n'imaginait pas que j'avais aussi un secret. On était accoutumé[1] à me voir souffrante ; et madame de B. faisait tant pour mon bonheur qu'elle devait me croire heureuse. J'aurais dû l'être ; je me le disais souvent ; je m'accusais d'ingratitude ou de folie ; je ne sais si j'aurais osé avouer 500 jusqu'à quel point ce mal sans remède de ma couleur me rendait malheureuse. Il y a quelque chose d'humiliant à ne pas savoir se soumettre à la nécessité[2] ; aussi, ces douleurs, quand elles maîtrisent l'âme, ont tous les caractères du désespoir. Ce qui m'intimidait aussi avec Charles, c'est cette tournure un peu

---

1. **Accoutumé** : habitué.
2. **Se soumettre à la nécessité** : accepter son sort.

vère de ses idées. Un soir, la conversation s'était établie[1] sur la pitié, et on se demandait si les chagrins inspirent plus d'intérêt par leurs résultats ou par leurs causes. Charles s'était prononcé pour la cause; il pensait donc qu'il fallait que toutes les douleurs fussent raisonnables. Mais qui peut dire ce que c'est que la raison? est-elle la même pour tout le monde? tous les cœurs ont-ils tous les mêmes besoins? et le malheur n'est-il pas la privation des besoins du cœur?

Il était rare cependant que nos conversations du soir me ramenassent ainsi à moi-même; je tâchais d'y penser le moins que je pouvais; j'avais ôté de ma chambre tous les miroirs; je portais toujours des gants; mes vêtements cachaient mon cou et mes bras, et j'avais adopté, pour sortir, un grand chapeau avec un voile que souvent même je gardais dans la maison. Hélas! je me trompais ainsi moi-même: comme les enfants, je fermais les yeux, et je croyais qu'on ne me voyait pas.

Vers la fin de l'année 1795, la Terreur était finie, et l'on commençait à se retrouver; les débris[2] de la société de madame de B. se réunirent autour d'elle, et je vis avec peine le cercle de ses amis s'augmenter. Ma position était si fausse[3] dans le monde, que plus la société rentrait dans son ordre naturel, plus je m'en sentais dehors. Toutes les fois que je voyais arriver chez madame de B. des personnes qui n'y étaient pas encore venues, j'éprouvais un nouveau tourment. L'expression de surprise mêlée de dédain[4] que j'observais sur leur physionomie[5], commençait à me troubler;

---

1. S'était établie : avait pour sujet.
2. Débris : restes des connaissances rescapées des exécutions de la Terreur.
3. Fausse : illusoire.
4. Dédain : mépris.
5. Physionomie : visage.

530 j'étais sûre d'être bientôt l'objet d'un aparté[1] dans l'embrasure
de la fenêtre, ou d'une conversation à voix basse : car il fallait
bien se faire expliquer comment une négresse était admise dans
la société intime de madame de B. Je souffrais le martyre
pendant ces éclaircissements ; j'aurais voulu être transportée
535 dans ma patrie barbare, au milieu des sauvages qui l'habitent,
moins à craindre pour moi que cette société cruelle qui me
rendait responsable du mal qu'elle seule avait fait. J'étais poursuivie, plusieurs jours de suite, par le souvenir de cette physionomie dédaigneuse[2] ; je la voyais en rêve, je la voyais à chaque
540 instant ; elle se plaçait devant moi comme ma propre image.
Hélas ! elle était celle des chimères[3] dont je me laissais obséder !
Vous ne m'aviez pas encore appris, ô mon Dieu ! à conjurer[4] ces
fantômes ; je ne savais pas qu'il n'y a de repos qu'en vous.

À présent, c'était dans le cœur de Charles que je cherchais un
545 abri ; j'étais fière de son amitié, je l'étais encore plus de ses
vertus ; je l'admirais comme ce que je connaissais de plus parfait
sur la terre. J'avais cru autrefois aimer Charles comme un frère ;
mais depuis que j'étais toujours souffrante, il me semblait que
j'étais vieillie, et que ma tendresse pour lui ressemblait plutôt
550 à celle d'une mère. Une mère, en effet, pouvait seule éprouver
ce désir passionné de son bonheur, de ses succès ; j'aurais volon-
tiers donné ma vie pour lui épargner un moment de peine. Je
voyais bien avant lui l'impression qu'il produisait sur les autres ;
il était assez heureux pour ne s'en pas soucier : c'est tout simple ,

---

1. **Aparté** : conversation particulière qui a lieu à l'écart des autres.
2. **Physionomie dédaigneuse** : visage faisant une mine de dégoût.
3. **Chimères** : illusions.
4. **Conjurer** : éloigner, exorciser.

555 il n'avait rien à en redouter, rien ne lui avait donné cette inquié-
tude habituelle que j'éprouvais sur les pensées des autres ; tout
était harmonie dans son sort, tout était désaccord dans le mien.

Un matin, un ancien ami de madame de B. vint chez elle ;
il était chargé d'une proposition de mariage pour Charles :
560 mademoiselle de Thémines était devenue, d'une manière bien
cruelle, une riche héritière ; elle avait perdu le même jour, sur
l'échafaud[1], sa famille entière ; il ne lui restait plus qu'une
grand-tante, autrefois religieuse, et qui, devenue tutrice[2] de
mademoiselle de Thémines, regardait comme un devoir de la
565 marier, et voulait se presser, parce qu'ayant plus de quatre-
vingts ans, elle craignait de mourir et de laisser ainsi sa nièce
seule et sans appui dans le monde[3]. Mademoiselle de Thémines
réunissait tous les avantages de la naissance, de la fortune et de
l'éducation ; elle avait seize ans ; elle était belle comme le jour :
570 on ne pouvait hésiter. Madame de B. en parla à Charles, qui
d'abord fut un peu effrayé de se marier si jeune : bientôt il
désira voir mademoiselle de Thémines ; l'entrevue eut lieu, et
alors il n'hésita plus. Anaïs de Thémines possédait en effet tout
ce qui pouvait plaire à Charles ; jolie sans s'en douter, et d'une
575 modestie si tranquille, qu'on voyait qu'elle ne devait qu'à la
nature cette charmante vertu. Madame de Thémines permit à
Charles d'aller chez elle, et bientôt il devint passionnément
amoureux. Il me racontait les progrès de ses sentiments : j'étais
impatiente de voir cette belle Anaïs, destinée à faire le bonheur
580 de Charles. Elle vint enfin à Saint-Germain ; Charles lui avait

---

1. Échafaud : estrade sur laquelle montent les condamnés à mort par guillotine.
2. Tutrice : responsable légale.
3. Appui dans le monde : guide moral alors indispensable à toute jeune femme
pour évoluer en société.

parlé de moi ; je n'eus point à supporter d'elle ce coup d'œil dédaigneux et scrutateur[1] qui me faisait toujours tant de mal : elle avait l'air d'un ange de bonté. Je lui promis qu'elle serait heureuse avec Charles ; je la rassurai sur sa jeunesse, je lui dis qu'à vingt et un ans il avait la raison solide d'un âge bien plus avancé[2]. Je répondis à toutes ses questions : elle m'en fit beaucoup, parce qu'elle savait que je connaissais Charles depuis son enfance ; et il m'était si doux d'en dire du bien que je ne me lassais pas d'en parler.

Les arrangements d'affaires[3] retardèrent de quelques semaines la conclusion du mariage. Charles continuait à aller chez madame de Thémines, et souvent il restait à Paris deux ou trois jours de suite : ces absences m'affligeaient, et j'étais mécontente de moi-même, en voyant que je préférais mon bonheur à celui de Charles ; ce n'est pas ainsi que j'étais accoutumée à aimer. Les jours où il revenait, étaient des jours de fête ; il me racontait ce qui l'avait occupé ; et s'il avait fait quelques progrès dans le cœur d'Anaïs, je m'en réjouissais avec lui. Un jour pourtant il me parla de la manière dont il voulait vivre avec elle : « Je veux obtenir toute sa confiance, me dit-il, et lui donner toute la mienne ; je ne lui cacherai rien, elle saura toutes mes pensées, elle connaîtra tous les mouvements secrets de mon cœur ; je veux qu'il y ait entre elle et moi une confiance comme la nôtre, Ourika. » Comme la nôtre ! Ce mot me fit mal ; il me rappela que Charles ne savait pas le seul secret de ma vie, et il m'ôta le

---

1. **Scrutateur** : inquisiteur, intrusif.
2. **D'un âge bien plus avancé** : d'un homme mûr.
3. Allusion aux tractations financières et immobilières qui précèdent alors toujours une union entre deux puissantes familles.

désir de le lui confier. Peu à peu les absences de Charles devinrent plus longues ; il n'était presque plus à Saint-Germain que des instants[1] ; il venait à cheval pour mettre moins de temps en chemin, il retournait l'après-dînée[2] à Paris, de sorte que tous les
610 soirs se passaient sans lui. Madame de B. plaisantait souvent de ces longues absences ; j'aurais bien voulu faire comme elle !

Un jour, nous nous promenions dans la forêt. Charles avait été absent presque toute la semaine : je l'aperçus tout à coup à l'extrémité de l'allée où nous marchions ; il venait à cheval,
615 et très vite. Quand il fut près de l'endroit où nous étions, il sauta à terre et se mit à se promener avec nous : après quelques minutes de conversation générale, il resta en arrière avec moi, et nous recommençâmes à causer comme autrefois ; j'en fis la remarque. « Comme autrefois ! s'écria-t-il ; ah ! quelle diffé-
620 rence ! avais-je donc quelque chose à dire dans ce temps-là ? Il me semble que je n'ai commencé à vivre que depuis deux mois. Ourika, je ne vous dirai jamais ce que j'éprouve pour elle ! Quelquefois je crois sentir que mon âme tout entière va passer dans la sienne. Quand elle me regarde, je ne respire plus ; quand
625 elle rougit, je voudrais me prosterner à ses pieds pour l'adorer. Quand je pense que je vais être le protecteur de cet ange, qu'elle me confie sa vie, sa destinée ; ah ! que je suis glorieux de la mienne ! Que je la rendrai heureuse ! Je serai pour elle le père, la mère qu'elle a perdus ; mais je serai aussi son mari, son
630 amant ! Elle me donnera son premier amour ; tout son cœur s'épanchera[3] dans le mien ; nous vivrons de la même vie, et je

---

1. **Que des instants** : trop brièvement.
2. **Après-dînée** : après-midi.
3. **S'épanchera** : se déversera, se confiera.

ne veux pas que, dans le cours de nos longues années, elle puisse dire qu'elle ait passé une heure sans être heureuse. Quelles délices, Ourika, de penser qu'elle sera la mère de mes enfants, 635 qu'ils puiseront la vie dans le sein d'Anaïs! Ah! ils seront doux et beaux comme elle! Qu'ai-je fait, ô Dieu! pour mériter tant de bonheur! »

Hélas! j'adressais en ce moment au ciel une question toute contraire! Depuis quelques instants j'écoutais ces paroles 640 passionnées avec un sentiment indéfinissable. Grand Dieu! vous êtes témoin que j'étais heureuse du bonheur de Charles: mais pourquoi avez-vous donné la vie à la pauvre Ourika? pourquoi n'est-elle pas morte sur ce bâtiment négrier d'où elle fut arrachée, ou sur le sein de sa mère? Un peu de sable 645 d'Afrique eût recouvert son corps, et ce fardeau[1] eût été bien léger! Qu'importait au monde qu'Ourika vécût? Pourquoi était-elle condamnée à la vie? C'était donc pour vivre seule, toujours seule; jamais aimée! Ô mon Dieu, ne le permettez pas! Retirez de la terre la pauvre Ourika! Personne n'a besoin 650 d'elle; n'est-elle pas seule dans la vie? Cette affreuse pensée me saisit avec plus de violence qu'elle n'avait encore fait. Je me sentis fléchir[2], je tombai sur les genoux, mes yeux se fermèrent, et je crus que j'allais mourir.

En achevant ces paroles, l'oppression[3] de la pauvre reli- 655 gieuse parut s'augmenter; sa voix s'altéra[4], et quelques larmes coulèrent le long de ses joues flétries[5]. Je voulus l'engager à

---

1. Fardeau : charge morale.

2. Fléchir : chanceler, défaillir.

3. Oppression : essoufflement, difficulté à respirer.

4. S'altéra : se troubla.

5. Flétries : ridées.

suspendre son récit ; elle s'y refusa. « Ce n'est rien, me dit-elle ; maintenant le chagrin ne dure pas dans mon cœur : la racine en est coupée. Dieu a eu pitié de moi ; il m'a retirée lui-même
660 de cet abîme où je n'étais tombée que faute de le connaître et de l'aimer. N'oubliez donc pas que je suis heureuse : mais, hélas ! ajouta-t-elle, je ne l'étais pas alors. »

Jusqu'à l'époque dont je viens de vous parler, j'avais supporté mes peines ; elles avaient altéré ma santé, mais j'avais conservé
665 ma raison et une sorte d'empire[1] sur moi-même ; mon chagrin, comme le ver qui dévore le fruit, avait commencé par le cœur ; je portais dans mon sein le germe de la destruction, lorsque tout était encore plein de vie au dehors de moi. La conversation me plaisait, la discussion m'animait ; j'avais même conservé une
670 sorte de gaîté d'esprit ; mais j'avais perdu les joies du cœur. Enfin, jusqu'à l'époque dont je viens de vous parler, j'étais plus forte que mes peines ; je sentais qu'à présent mes peines seraient plus fortes que moi.

Charles me rapporta dans ses bras jusqu'à la maison ; là tous
675 les secours[2] me furent donnés, et je repris connaissance. En ouvrant les yeux, je vis madame de B. à côté de mon lit ; Charles me tenait une main : ils m'avaient soigné eux-mêmes, et je vis sur leurs visages un mélange d'anxiété et de douleur qui pénétra jusqu'au fond de mon âme ; je sentis la vie revenir en
680 moi ; mes pleurs coulèrent. Madame de B. les essuyait douce-ment ; elle ne me disait rien, elle ne me faisait point de ques-tions : Charles m'en accabla[3]. Je ne sais ce que je lui répondis ;

---

1. **Empire** : contrôle.
2. **Secours** : soins.
3. **M'en accabla** : m'en posa énormément.

je donnai pour cause à mon accident le chaud, la longueur de
la promenade : il me crut, et l'amertume rentra dans mon âme
685 en voyant qu'il me croyait ; mes larmes se séchèrent ; je me dis
qu'il était donc bien facile de tromper ceux dont l'intérêt était
ailleurs ; je retirai ma main qu'il tenait encore, et je cherchai
à paraître tranquille. Charles partit, comme de coutume, à
cinq heures ; j'en fus blessée ; j'aurais voulu qu'il fût inquiet de
690 moi : je souffrais tant ! Il serait parti de même, je l'y aurais
forcé ; mais je me serais dit qu'il me devait le bonheur de sa
soirée, et cette pensée m'eût consolée. Je me gardai bien de
montrer à Charles ce mouvement de mon cœur ; les sentiments
délicats ont une sorte de pudeur ; s'ils ne sont pas devinés, ils
695 sont incomplets : on dirait qu'on ne peut les éprouver qu'à deux.

À peine Charles fut-il parti, que la fièvre me prit avec
une grande violence ; elle augmenta les deux jours suivants.
Madame de B. me soignait avec sa bonté accoutumée[1] ; elle
était désespérée de mon état, et de l'impossibilité de me faire
700 transporter à Paris, où le mariage de Charles l'obligeait à se
rendre le lendemain. Les médecins dirent à madame de B. qu'ils
répondaient de ma vie[2] si elle me laissait à Saint-Germain ; elle
s'y résolut, et elle me montra en partant une affection si tendre,
qu'elle calma un moment mon cœur. Mais après son départ,
705 l'isolement complet, réel, où je me trouvais pour la première
fois de ma vie, me jeta dans un profond désespoir. Je voyais se
réaliser cette situation que mon imagination s'était peinte tant
de fois ; je mourais loin de ce que j'aimais, et mes tristes gémis-
sements ne parvenaient pas même à leurs oreilles : hélas ! ils

---

1. **Accoutumée** : habituelle.

2. **Qu'ils répondaient de ma vie** : qu'ils s'occupaient totalement de moi.

710 eussent troublé leur joie. Je les voyais, s'abandonnant à toute
l'ivresse du bonheur, loin d'Ourika mourante. Ourika n'avait
qu'eux dans la vie ; mais eux n'avaient pas besoin d'Ourika :
personne n'avait besoin d'elle ! Cet affreux sentiment de l'inutilité de l'existence, est celui qui déchire le plus profondément
715 le cœur ; il me donna un tel dégoût de la vie, que je souhaitai
sincèrement mourir de la maladie dont j'étais attaquée. Je ne
parlais pas, je ne donnais presque aucun signe de connaissance[1],
et cette seule pensée était bien distincte en moi : *je voudrais
mourir*. Dans d'autres moments, j'étais plus agitée ; je me rappe-
720 lais tous les mots de cette dernière conversation que j'avais eue
avec Charles dans la forêt ; je le voyais nageant dans cette mer
de délices qu'il m'avait dépeinte, tandis que je mourais aban-
donnée, seule dans la mort comme dans la vie. Cette idée
me donnait une irritation[2] plus pénible encore que la douleur.
725 Je me créais des chimères[3] pour satisfaire à ce nouveau sentiment ; je me représentais[4] Charles arrivant à Saint-Germain ; on
lui disait : Elle est morte. Eh bien ! le croiriez-vous ? je jouissais
de sa douleur ; elle me vengeait ; et de quoi ? grand Dieu ! de ce
qu'il avait été l'ange protecteur de ma vie ? Cet affreux senti-
730 ment me fit bientôt horreur ; j'entrevis que si la douleur n'était
pas une faute, s'y livrer comme je le faisais pouvait être
criminel. Mes idées prirent alors un autre cours ; j'essayai de me
vaincre, de trouver en moi-même une force pour combattre les
sentiments qui m'agitaient ; mais je ne la cherchais point,

---

1. **Connaissance** : vie.

2. **Irritation** : agacement, colère.

3. **Chimères** : illusions.

4. **Je me représentais** : je m'imaginais.

735 cette force, où elle était. Je me fis honte de mon ingratitude. Je mourrai, me disais-je, je veux mourir ; mais je ne veux pas laisser les passions haineuses approcher de mon cœur. Ourika est un enfant déshérité ; mais l'innocence lui reste : je ne la laisserai pas se flétrir[1] en moi par l'ingratitude. Je passerai sur la

740 terre comme une ombre ; mais, dans le tombeau, j'aurai la paix. Ô mon Dieu ! ils sont déjà bien heureux : eh bien ! donnez-leur encore la part d'Ourika, et laissez-la mourir comme la feuille tombe en automne. N'ai-je donc pas assez souffert ?

Je ne sortis de la maladie qui avait mis ma vie en danger que

745 pour tomber dans un état de langueur[2] où le chagrin avait beaucoup de part. Madame de B. s'établit à Saint-Germain après le mariage de Charles ; il y venait souvent accompagné d'Anaïs, jamais sans elle. Je souffrais toujours davantage quand ils étaient là. Je ne sais si l'image du bonheur me rendait plus

750 sensible ma propre infortune[3], ou si la présence de Charles réveillait le souvenir de notre ancienne amitié ; je cherchais quelquefois à le retrouver, et je ne le reconnaissais plus. Il me disait pourtant à peu près tout ce qu'il me disait autrefois : mais son amitié présente ressemblait à son amitié passée,

755 comme la fleur artificielle ressemble à la fleur véritable : c'est la même chose, hors[4] la vie et le parfum.

Charles attribuait au dépérissement[5] de ma santé le changement de mon caractère ; je crois que madame de B. jugeait mieux le triste état de mon âme, qu'elle devinait mes tourments

---

1. Flétrir : dégrader, déshonorer.
2. Langueur : épuisement physique.
3. Infortune : malheur.
4. Hors : à part.
5. Dépérissement : affaiblissement, épuisement.

760 secrets, et qu'elle en était vivement affligée : mais le temps n'était plus où je consolais les autres ; je n'avais plus pitié que de moi-même.

Anaïs devint grosse[1], et nous retournâmes à Paris : ma tristesse augmentait chaque jour. Ce bonheur intérieur si paisible,
765 ces liens de famille si doux ! cet amour dans l'innocence, toujours aussi tendre, aussi passionné ; quel spectacle pour une malheureuse destinée à passer sa triste vie dans l'isolement ! à mourir sans avoir été aimée, sans avoir connu d'autres liens, que ceux de la dépendance et de la pitié ! Les jours, les mois se passaient
770 ainsi ; je ne prenais part à aucune conversation, j'avais abandonné tous mes talents[2] ; si je supportais quelques lectures, c'étaient celles où je croyais retrouver la peinture imparfaite des chagrins qui me dévoraient. Je m'en faisais un nouveau poison, je m'enivrais de mes larmes ; et, seule dans ma chambre pendant
775 des heures entières, je m'abandonnais à ma douleur.

La naissance d'un fils mit le comble au bonheur de Charles ; il accourut pour me le dire, et dans les transports de sa joie, je reconnus quelques accents de son ancienne confiance. Qu'ils me firent mal ! Hélas ! c'était la voix de l'ami que je n'avais
780 plus ! et tous les souvenirs du passé venaient à cette voix déchirer de nouveau ma plaie.

L'enfant de Charles était beau comme Anaïs ; le tableau de cette jeune mère avec son fils touchait[3] tout le monde ; moi seule, par un sort bizarre, j'étais condamnée à le voir avec
785 amertume ; mon cœur dévorait cette image d'un bonheur que

---

1. **Devint grosse** : tomba enceinte.
2. **Mes talents** : mes occupations artistiques.
3. **Touchait** : émouvait.

je ne devais jamais connaître, et l'envie, comme le vautour
nourrissait dans mon sein[1]. Qu'avais-je fait à ceux qui crurent
me sauver en m'amenant sur cette terre d'exil ? Pourquoi ne
me laissait-on pas suivre mon sort ? Eh bien ! je serais la
790 négresse esclave de quelque riche colon[2] ; brûlée par le soleil,
je cultiverais la terre d'un autre : mais j'aurais mon humble
cabane pour me retirer le soir ; j'aurais un compagnon de ma
vie, et des enfants de ma couleur qui m'appelleraient leur
mère ! ils appuieraient sans dégoût leur petite bouche sur mon
795 front ; ils reposeraient leur tête sur mon cou, et s'endormi-
raient dans mes bras ! Qu'ai-je fait pour être condamnée à
n'éprouver jamais les affections pour lesquelles seules mon
cœur est créé ! Ô mon Dieu ! ôtez-moi de ce monde ; je sens
que je ne puis plus supporter la vie.

800 À genoux dans ma chambre, j'adressais au Créateur[3] cette
prière impie[4], quand j'entendis ouvrir ma porte : c'était l'amie
de madame de B., la marquise de…, qui était revenue depuis
peu d'Angleterre, où elle avait passé plusieurs années. Je la vis
avec effroi arriver près de moi ; sa vue me rappelait toujours
805 que, la première, elle m'avait révélé mon sort ; qu'elle m'avait
ouvert cette mine de douleurs où j'avais tant puisé. Depuis
qu'elle était à Paris, je ne la voyais qu'avec un sentiment
pénible.

« Je viens vous voir et causer avec vous, ma chère Ourika,
810 me dit-elle. Vous savez combien je vous aime depuis votre

---

1. **Dans mon sein** : en moi.

2. **Colon** : colonisateur européen.

3. **Créateur** : Dieu.

4. **Impie** : sacrilège.

enfance, et je ne puis voir, sans une véritable peine, la mélancolie[1] dans laquelle vous vous plongez. Est-il possible, avec
l'esprit que vous avez, que vous ne sachiez tirer un meilleur
parti de votre situation ? – L'esprit, madame, lui répondis-je,
815 ne sert qu'à augmenter les maux[2] véritables ; il les fait voir sous
tant de formes diverses ! – Mais, reprit-elle, lorsque les maux
sont sans remède, n'est-ce pas une folie de refuser de s'y
soumettre, et de lutter ainsi contre la nécessité[3] ? car enfin,
nous ne sommes pas les plus forts. – Cela est vrai, dis-je, mais
820 il me semble que, dans ce cas, la nécessité est un mal de plus. –
Vous conviendrez pourtant, Ourika, que la raison conseille
alors de se résigner[4] et de se distraire. – Oui, madame ; mais,
pour se distraire, il faut entrevoir ailleurs l'espérance. – Vous
pourriez du moins vous faire des goûts et des occupations pour
825 remplir votre temps. – Ah ! madame, les goûts qu'on se fait,
sont un effort, et ne sont pas un plaisir. – Mais, dit-elle encore,
vous êtes remplie de talents. – Pour que les talents soient une
ressource, madame, lui répondis-je, il faut se proposer un but ;
mes talents seraient comme la fleur du poète anglais, qui
830 perdait son parfum dans le désert[5]. – Vous oubliez vos amis
qui en jouiraient[6]. – Je n'ai point d'amis, madame ; j'ai des
protecteurs, et cela est bien différent ! – Ourika, dit-elle, vous

---

1. Mélancolie : tristesse profonde.
2. Maux : malheurs.
3. Nécessité : destin.
4. Résigner : renoncer.
5. Allusion aux vers du poète anglais Thomas Gray (1716-1771) qui, dans *Élégie écrite dans un cimetière de campagne* (1751), écrit : « Des plus brillantes fleurs le calice entr'ouvert/Décore un précipice ou parfume un désert ».
6. Jouiraient : profiteraient.

vous rendez bien malheureuse, et bien inutilement. – Tout est
inutile dans ma vie, madame, même ma douleur. – Comment
835 pouvez-vous prononcer un mot si amer ! vous, Ourika, qui
vous êtes montrée si dévouée, lorsque vous restiez seule à
madame de B. pendant la Terreur ? – Hélas ! madame, je suis
comme ces génies malfaisants[1] qui n'ont de pouvoir que dans
les temps de calamités[2], et que le bonheur fait fuir. – Confiez-
840 moi votre secret, ma chère Ourika ; ouvrez-moi votre cœur,
personne ne prend à vous plus d'intérêt que moi, et peut-être
que je vous ferai du bien. – Je n'ai point de secret, madame, lui
répondis-je, ma position et ma couleur sont tout mon mal,
vous le savez. – Allons donc, reprit-elle, pouvez-vous nier que
845 vous renfermez au fond de votre âme une grande peine ? Il ne
faut que vous voir un instant pour en être sûr. » Je persistai à
lui dire ce que je lui avais déjà dit ; elle s'impatienta, éleva la
voix ; je vis que l'orage allait éclater. « Est-ce là votre bonne foi,
dit-elle ? cette sincérité pour laquelle on vous vante ? Ourika,
850 prenez-y garde ; la réserve[3] quelquefois conduit à la fausseté[4].
– Eh ! que pourrais-je vous confier, madame, lui dis-je, à vous
surtout qui, depuis si longtemps avez prévu quel serait le
malheur de ma situation ? À vous, moins qu'à personne, je n'ai
rien de nouveau à dire là-dessus. – C'est ce que vous ne me
855 persuaderez jamais, répliqua-t-elle ; mais puisque vous me
refusez votre confiance, et que vous assurez que vous n'avez
point de secret, eh bien ! Ourika, je me chargerai de vous

Clés
4
> p. 70

---

1. **Génies malfaisants** : créatures surnaturelles mal intentionnées.
2. **Calamités** : terribles malheurs.
3. **Réserve** : retenue, pudeur.
4. **Fausseté** : hypocrisie, dissimulation.

apprendre que vous en avez un. Oui, Ourika, tous vos regrets, toutes vos douleurs ne viennent que d'une passion malheu-
860 reuse, d'une passion insensée[1]; et si vous n'étiez pas folle d'amour pour Charles, vous prendriez fort bien votre parti d'être négresse. Adieu, Ourika, je m'en vais, et, je vous le déclare, avec bien moins d'intérêt pour vous que je n'en avais apporté en venant ici. » Elle sortit en achevant ces paroles. Je
865 demeurai anéantie. Que venait-elle de me révéler! Quelle lumière affreuse avait-elle jetée sur l'abîme de mes douleurs! Grand Dieu! c'était comme la lumière qui pénétra une fois au fond des enfers, et qui fit regretter les ténèbres à ses malheureux habitants. Quoi! j'avais une passion criminelle! c'est elle
870 qui, jusqu'ici, dévorait mon cœur! Ce désir de tenir ma place dans la chaîne des êtres, ce besoin des affections de la nature, cette douleur de l'isolement, c'étaient les regrets d'un amour coupable! et lorsque je croyais envier l'image du bonheur, c'était le bonheur lui-même qui était l'objet de mes vœux
875 impies! Mais qu'ai-je donc fait pour qu'on puisse me croire atteinte de cette passion sans espoir? Est-il donc impossible d'aimer plus que sa vie avec innocence? Cette mère qui se jeta dans la gueule du lion pour sauver son fils, quel sentiment l'animait? Ces frères, ces sœurs qui voulurent mourir ensemble
880 sur l'échafaud, et qui priaient Dieu avant d'y monter, était-ce un amour coupable qui les unissait? L'humanité seule ne produit-elle pas tous les jours des dévouements sublimes[2]? Pourquoi donc ne pourrais-je aimer ainsi Charles, le compagnon de mon enfance, le protecteur de ma jeunesse?... Et

---

1. Insensée : folle, déraisonnable.
2. Sublimes : dignes d'admiration.

cependant, je ne sais quelle voix crie au fond de moi-même,
qu'on a raison, et que je suis criminelle. Grand Dieu ! je vais
donc recevoir aussi le remords dans mon cœur désolé[1] ! Il faut
qu'Ourika connaisse tous les genres d'amertume, qu'elle
épuise toutes les douleurs ! Quoi ! mes larmes désormais seront
coupables ! il me sera défendu de penser à lui ! quoi ! je n'oserai
plus souffrir !

Ces affreuses pensées me jetèrent dans un accablement[2] qui
ressemblait à la mort. La même nuit, la fièvre me prit, et, en
moins de trois jours, on désespéra de ma vie : le médecin
déclara que, si l'on voulait me faire recevoir mes sacrements[3],
il n'y avait pas un instant à perdre. On envoya chercher mon
confesseur ; il était mort depuis peu de jours. Alors madame
de B. fit avertir un prêtre de la paroisse ; il vint et m'admi-
nistra l'extrême-onction[4], car j'étais hors d'état de recevoir le
viatique[5] ; je n'avais aucune connaissance[6], et on attendait ma
mort à chaque instant. C'est sans doute alors que Dieu eut
pitié de moi ; il commença par me conserver la vie : contre
toute attente, mes forces se soutinrent. Je luttai ainsi environ
quinze jours ; ensuite la connaissance me revint. Madame de
B. ne me quittait pas, et Charles paraissait avoir retrouvé pour
moi son ancienne affection. Le prêtre continuait à venir me

1. Désolé : attristé.
2. Accablement : douleur.
3. Sacrements : dans la religion catholique, rites accompagnant les mourants.
4. Extrême-onction : dans la religion catholique, dernier sacrement donné aux malades à l'agonie.
5. Viatique : dans la religion catholique, sacrement donné à un mourant encore conscient.
6. Je n'avais aucune connaissance : j'avais perdu conscience.

📖 LIRE LE TEXTE

Lisez l'extrait à voix haute en suivant les indications suivantes.

• l. 846-864. Dans le dialogue qui ouvre le passage, la réserve d'Ourika contraste avec la colère de la marquise.

• l. 864-875. Dans le monologue qui suit et ses nombreuses exclamatives, rendez compte de la stupeur de l'héroïne.

• l. 875-891. Faites entendre son désarroi quand elle s'interroge.
À compter de « Grand Dieu ! », exprimez la désolation tragique dans laquelle les paroles de la marquise l'ont plongée.

💬 EXPLIQUER LE TEXTE

Pour introduire

Situer le texte dans l'œuvre

C'est la marquise qui avait révélé à Ourika que la société où elle avait grandi ne l'accepterait jamais en son sein (voir p. 30-32). Ici, elle achève de l'anéantir en lui expliquant qu'elle éprouve un amour coupable pour Charles.

Formuler la problématique

Dans quelle mesure cette scène fait d'Ourika une victime tragique ?

Le texte étape par étape

I Une conclusion morale (l. 846-864)

1. Pourquoi la marquise se met-elle en colère ?

▸ Relevez deux termes qui montrent l'énervement manifesté par la marquise.

▸ Contre quelle attitude la marquise met-elle Ourika en garde ?

2. Quelles valeurs morales sont mises en avant ?

▸ Montrez que le « secret » est considéré comme un manque de confiance.

3. Pourquoi les reproches de la marquise sont-ils culpabilisants ?

▸ Sur quel ton la marquise s'adresse-t-elle à Ourika ?

▸ Expliquez en quoi sa dernière phrase (l. 863-864) est blessante pour Ourika.

▐ Une héroïne romantique (l. 864-875)

4. En quoi les propos de la marquise sont-ils une nouvelle révélation pour Ourika ?

▸ Commentez l'expression « lumière affreuse ».

▸ Qu'est-ce que cette « passion criminelle » dont parle Ourika ?

5. Quel est le registre majeur de ce passage ?

▸ Observez la ponctuation du passage. Quel sentiment exprime-t-elle ?

▸ Relevez le champ lexical des ténèbres.

6. Pourquoi Ourika souligne-t-elle son « isolement » ?

▸ Donnez la raison pour laquelle Ourika éprouve des « regrets ».

▐ Un dénouement tragique (l. 875-891)

7. En quoi s'agit-il d'une « passion sans espoir » ?

▸ Quel est le ton du passage ?

▸ Indiquez à qui Ourika adresse ses questions.

8. Pourquoi Ourika se qualifie-t-elle ici de « criminelle » ?

▸ Expliquez comment Ourika exprime sa culpabilité.

▸ À qui Ourika donne-t-elle finalement raison dans cet examen de conscience ?

9. Relevez les éléments tragiques du passage.

▸ Pourquoi Ourika n'osera-t-elle plus souffrir ?

Conclusion

• À l'issue de cette seconde scène de révélation, le malheur s'est définitivement abattu sur Ourika : dans une société qui fait d'elle une paria et juge coupables ses sentiments, la jeune femme noire n'a aucune chance de vivre selon ses choix. Elle est condamnée à « [épuiser] toutes les douleurs » !

• Le discours de la marquise paraît ici particulièrement cruel : alors que c'est la société qu'elle représente qui devrait être condamnée pour ses préjugés racistes injustes, ne parvient-il pas à inverser les rôles en faisant éprouver à Ourika du remords ?

🔍 LA QUESTION DE GRAMMAIRE

10. Analysez les propositions dans la phrase complexe suivante : « Et cependant, je ne sais quelle voix crie au fond de moi-même, qu'on a raison, et que je suis criminelle » (l. 884-886).

▸ Repérez les verbes conjugués et déduisez-en le nombre de propositions.

▸ Analysez les liens entre les propositions (subordination, coordination).

▸ Étudiez la nature et la fonction de chaque proposition.

🚶 POUR ALLER PLUS LOIN

11. Recherche lexicale • Relevez aux lignes 858-879 des mots relevant du champ lexical de la sincérité.

▸ Vous pouvez aussi citer des mots de sens contraire, tel « fausseté ».

12. Lecture comparée • Lisez la nouvelle de Roberte Horth, « Une histoire sans importance » (p. 99-102). Quels points communs avec le récit de Claire de Duras pouvez-vous mettre en évidence ?

▸ Montrez comment chacune des deux héroïnes est victime de préjugés raciaux.

▸ Analysez comment s'achèvent les deux textes. Quels registres dominent ?

voir chaque jour, car il voulait profiter du premier moment pour me confesser : je le désirais moi-même ; je ne sais quel mouvement me portait vers Dieu, et me donnait le besoin de me jeter
910 dans ses bras et d'y chercher le repos. Le prêtre reçut l'aveu de mes fautes ; il ne fut point effrayé de l'état de mon âme ; comme un vieux matelot, il connaissait toutes ces tempêtes. Il commença par me rassurer sur cette passion dont j'étais accusée : « Votre cœur est pur, me dit-il, c'est à vous seule que
915 vous avez fait du mal, mais vous n'en êtes pas moins coupable. Dieu vous demandera compte de votre propre bonheur qu'il vous avait confié ; qu'en avez-vous fait ? Ce bonheur était entre vos mains, car il réside dans l'accomplissement de nos devoirs ; les avez-vous seulement connus ? Dieu est le but de l'homme :
920 quel a été le vôtre ? Mais ne perdez pas courage ; priez Dieu, Ourika ; il est là, il vous tend les bras ; il n'y a pour lui ni nègres ni blancs : tous les cœurs sont égaux devant ses yeux, et le vôtre mérite de devenir digne de lui. » C'est ainsi que cet homme respectable encourageait la pauvre Ourika. Ces paroles simples
925 portaient dans mon âme je ne sais quelle paix que je n'avais jamais connue ; je les méditais sans cesse, et, comme d'une mine féconde, j'en tirais toujours quelque nouvelle réflexion. Je vis qu'en effet je n'avais point connu mes devoirs : Dieu en a prescrit aux personnes isolées comme à celles qui tiennent au monde ; s'il
930 les a privées des liens du sang, il leur a donné l'humanité tout entière pour famille. La sœur de la charité[1], me disais-je, n'est point seule dans la vie, quoiqu'elle ait renoncé à tout ; elle s'est créé une famille de choix ; elle est la mère de tous les orphelins,

---

1. La sœur de la charité : religieuse se dévouant au service des pauvres et des malades.

la fille de tous les pauvres vieillards, la sœur de tous les malheu-
935 reux. Des hommes du monde[1] n'ont-ils pas souvent cherché un
isolement volontaire ? Ils voulaient être seuls avec Dieu ; ils
renonçaient à tous les plaisirs pour adorer, dans la solitude, la
source pure de tout bien et de tout bonheur ; ils travaillaient,
dans le secret de leur pensée, à rendre leur âme digne de se
940 présenter devant le Seigneur. C'est pour vous, ô mon Dieu ! qu'il
est doux d'embellir ainsi son cœur, de le parer, comme pour
un jour de fête, de toutes les vertus qui vous plaisent. Hélas !
qu'avais-je fait ? Jouet insensé des mouvements involontaires de
mon âme, j'avais couru après les jouissances de la vie, et j'en avais
945 négligé le bonheur. Mais il n'est pas encore trop tard ; Dieu, en
me jetant sur cette terre étrangère, voulut peut-être me destiner
à lui ; il m'arracha à la barbarie, à l'ignorance ; par un miracle de
sa bonté, il me déroba aux vices de l'esclavage, et me fit connaître
sa loi : cette loi me montre tous mes devoirs ; elle m'enseigne ma
950 route : je la suivrai, ô mon Dieu ! je ne me servirai plus de vos
bienfaits pour vous offenser, je ne vous accuserai plus de toutes
mes fautes.

Ce nouveau jour sous lequel j'envisageais ma position fit
rentrer le calme dans mon cœur. Je m'étonnais de la paix qui
955 succédait à tant d'orages : on avait ouvert une issue à ce torrent
qui dévastait ses rivages, et maintenant il portait ses flots
apaisés dans une mer tranquille.

Je me décidai à me faire religieuse. J'en parlai à madame
de B. ; elle s'en affligea[2], mais elle me dit : « Je vous ai fait tant
960 de mal en voulant vous faire du bien, que je ne me sens pas le

---

1. **Des hommes du monde** : des mondains.
2. **Elle s'en affligea** : elle en éprouva une très grande peine.

droit de m'opposer à votre résolution. » Charles fut plus vif dans sa résistance ; il me pria, il me conjura de rester ; je lui dis : « Laissez-moi aller, Charles, dans le seul lieu où il me soit permis de penser sans cesse à vous… »

965   Ici la jeune religieuse finit brusquement son récit. Je continuai à lui donner des soins : malheureusement ils furent inutiles, elle mourut à la fin d'octobre ; elle tomba avec les dernières feuilles de l'automne.

Portrait de Louise Marie Thérèse (sœur Louise Marie de Sainte-Thérèse), dite la « Mauresse de Moret », fin du XVIIe siècle.

75

Bilan de lecture

Ourika
et le parcours associé

Le point en
10 questions

▶ *Le contexte biographique et culturel*

1. Comment, dès son plus jeune âge, Claire de Duras a-t-elle été sensibilisée au sort des esclaves ?

2. Quels sont les deux faits divers à l'origine de l'écriture d'*Ourika* ?

▶ *Des règles de l'écriture classique*

3. À quel moment le personnage d'Ourika devient-il le narrateur de son propre récit ? Pourquoi peut-on parler de récit enchâssé ?

4. Quels sont les événements historiques traversés par l'héroïne ? Quelle est leur fonction dans le récit ?

▶ *Un récit romantique*

5. Pour quelles raisons l'héroïne s'enferme-t-elle dans une solitude grandissante ?

6. Pourquoi Ourika peut-elle être qualifiée de jeune femme mélancolique ?

▶ *L'héritage des Lumières*

7. Quels sont les préjugés de l'Ancien Régime combattus par Claire de Duras ?

8. Comment Claire de Duras fait-elle l'éloge de la culture africaine ?

▶ *Le personnage noir*

9. Avec quel écrivain du XVIIIe siècle le personnage noir accède-t-il au statut de héros romanesque à part entière ?

10. Qui est le « Napoléon Noir » ? Quel texte met en scène ce personnage de guerrier ?

parcours

LITTÉRAIRE

Héros et héroïnes noirs

dans la littérature française

Ce parcours littéraire s'appuie sur l'évolution du statut des Noirs au fil des siècles dans la société française afin d'illustrer l'**émergence du personnage noir en littérature**. Il montre comment, à mesure qu'ils sont parvenus au prix d'âpres luttes à s'émanciper politiquement, les Noirs ont progressivement gagné en visibilité littéraire.

Au Moyen Âge, sous le terme de « Maures », les Noirs incarnent, dans une épopée comme *La Chanson de Roland*, des **ennemis sanguinaires sans véritable identité** que doivent combattre les valeureux soldats de Charlemagne.

Au xvi⁰ siècle, avec l'apparition de la traite des Noirs se met en place le commerce triangulaire entre la France, l'Afrique et les Amériques. Considérés comme de **vulgaires marchandises**, les Noirs, déshumanisés, sont alors désignés par le terme injurieux de « Nègres » et n'apparaissent plus en littérature.

Il faudra attendre le **xviii⁰ siècle** pour que, dans le sillage des philosophes des Lumières, les écrivains, défendant l'abolition de l'esclavage, mettent à nouveau en scène des héros noirs.

Longtemps maintenus dans des seconds rôles, les personnages noirs s'imposent progressivement au premier plan, à l'instar d'Ourika, l'héroïne du récit éponyme de Claire de Duras paru au **xix⁰ siècle**.

Aux **xx⁰ et xxi⁰ siècles**, les Noirs souhaitent peu à peu témoigner de leurs histoires tourmentées, en tant que personnages ou en tant qu'écrivains.

Afin de mieux comprendre cette évolution, ce parcours s'organise en trois parties qui correspondent à trois époques charnières. La première partie est consacrée à l'**émergence**

du personnage noir au XVIIIᵉ **siècle,** quand le siècle des Lumières entend faire de l'esclave un homme lib La deuxième partie, consacrée au XIXᵉ **siècle,** et en particul au mouvement romantique qui a fortement influencé l'autrice d'*Ourika*, met en lumière l'**héroïsme du personnage noir** pris entre révolte sociale et courage politique. Enfin, la troisième et dernière partie est consacrée aux XXᵉ **et** XXIᵉ **siècles,** où l'on passe **du héros à l'écrivain noir.**

> **L'usage des mots « Noir » et « Nègre »**
>
> Le mot «Noir» apparaît au Moyen Âge pour désigner un homme de couleur. D'usage courant jusqu'au XVIᵉ siècle, «Noir» est peu à peu remplacé, durant la traite et le commerce triangulaire, par «Nègre». D'emblée, synonyme d'«esclave», le terme est une insulte renvoyant à un statut social inférieur.
> L'empire colonial français banalisera l'usage du mot. Cependant, contrairement à une idée reçue, «Nègre» ne remplace pas «Noir» qui continuera à être parallèlement employé pour désigner les Noirs désirant être libres. Jusqu'à une époque récente encore, «Nègre» demeure injurieux.

I • AU SIÈCLE DES LUMIÈRES : L'ÉMERGENCE DU PERSONNAGE NOIR

Ce n'est qu'**au** XVIIIᵉ **siècle** qu'émergent, dans la littérature française, les premiers personnages noirs. À partir de 1750, et suite au succès populaire de la traduction d'*Oronoko ou la Véritable Histoire de l'esclave royal* de la romancière anglaise **Aphra Behn** (● LECTURES COMPLÉMENTAIRES, p. 114-115), un nombre croissant de récits mettent en scène des figures d'esclaves cherchant à se libérer du joug de leurs maîtres. Ces fictions rencontrent un large public car le portrait positif des esclaves qu'elles proposent fait écho aux valeurs des philosophes des Lumières (● AVANT-TEXTE, p. 10), qui entendent mettre fin à la servitude des Noirs.

En publiant *Candide* en 1759, **Voltaire** est l'un des premiers écrivains français à faire entendre la voix d'un personnage noir. Dans ce conte hilosophique, Candide, jeune Européen naïf sillonnant le monde, rencontre un esclave sauvagement mutilé qui se plaint de sa terrible condition (● TEXTE 1). Par cette prise de parole, Voltaire dénonce la maltraitance que des maîtres barbares infligent à des êtres jugés inférieurs.

Mais il faut attendre la parution du conte *Ziméo* en 1769 (● TEXTE 2) pour que le héros noir accède en France à une réelle reconnaissance. Alors que Voltaire n'accordait à son personnage qu'un rôle secondaire de victime, le personnage de **Jean-François de Saint-Lambert**, Ziméo, est dépeint comme un véritable héros. Débarrassé de son nom d'esclave (John), Ziméo, qui a recouvré son prénom et son identité, s'impose comme une figure puissante et courageuse, qui mène le combat pour la libération des esclaves.

À l'aube de la Révolution française, de nombreux penseurs prennent position, à l'instar d'**Olympe de Gouges** qui s'engage dans la voie réformiste. Dans sa pièce, *Zamor et Mirza ou l'Esclavage des Noirs* (● TEXTE 3), la dramaturge met en scène Zamor, un esclave docile qui incarne la figure du « bon Nègre » qui renonce à la révolte par fidélité à son « bon maître ».

Qu'ils soient rebelles ou soumis, ces personnages noirs sont désormais des héros à part entière, qui en annoncent d'autres, comme Ourika, l'héroïne du récit de Claire de Duras.

> **Les Lumières et l'esclavage**
>
> À partir de la seconde moitié du XVIIIe siècle, les Lumières ne vont cesser de débattre du problème politique et social que pose l'esclavage. Deux positions s'opposent: faut-il être abolitionniste et réclamer par tous les moyens l'abolition de l'esclavage? Ou faut-il, au contraire, être réformiste et s'en tenir à punir uniquement les maîtres abusifs?

1 • Voltaire : le combat des Lumières contre l'injustice et l'esclavage

Écrivain du siècle des Lumières, Voltaire incarne avec force le combat contre l'intolérance. Défenseur des libertés individuelles, il condamne au nom de l'égalité les violences dont les esclaves font l'objet.

Dans *Candide,* son conte philosophique le plus célèbre, il donne la parole, pour la première fois dans la littérature française, à un personnage noir qui témoigne de son martyr.

Voltaire (1694-1778)
Candide (1759), chapitre dix-neuvième

Après de multiples mésaventures en Amérique du Sud et la traversée du pays enchanteur de l'Eldorado, Candide et ses compagnons sont brusquement ramenés à la réalité : au Suriname, ils font la rencontre d'un esclave noir mutilé. En dépit de son optimisme tenace, Candide ne peut que reconnaître la cruauté des hommes.

En approchant de la ville, ils rencontrèrent un nègre étendu par terre, n'ayant plus que la moitié de son habit, c'est-à-dire d'un caleçon[1] de toile bleue ; il manquait à ce pauvre homme la jambe gauche et la main droite. « Eh, mon Dieu !
5 lui dit Candide en hollandais[2], que fais-tu là, mon ami[3], dans l'état horrible où je te vois ? — J'attends mon maître, monsieur Vanderdendur[4], le fameux négociant[5], répondit le nègre. — Est-ce M. Vanderdendur, dit Candide, qui t'a traité ainsi ? — Oui, monsieur, dit le nègre, c'est l'usage. On nous donne un
10 caleçon de toile pour tout vêtement deux fois l'année. Quand nous travaillons aux sucreries[6], et que la meule[7] nous attrape le doigt, on nous coupe la main[8] ; quand nous voulons nous enfuir, on nous coupe la jambe[9] : je me suis trouvé dans les deux cas. C'est à ce prix que vous mangez du sucre en Europe. Ce-
15 pendant, lorsque ma mère me vendit dix écus patagons[10] sur

---

1. Caleçon : pantalon.
2. Au cours du XVIe siècle, les Néerlandais s'imposèrent comme les premiers colonisateurs du Suriname.
3. Mon ami : formule de compassion.
4. Vanderdendur : inventé par Voltaire, ce patronyme, formé sur le modèle néerlandais (« Van Der »), est une parodie dont le but est de faire entendre les deux syllabes finales : « dent dure ».
5. Négociant : riche commerçant.
6. Sucreries : manufactures où l'on extrait le sucre de la canne à sucre.

7. Meule : cylindre mécanique permettant de moudre le sucre.
8. Le mouvement mécanique de la meule étant trop rapide pour être arrêté, dès qu'il y a incident, il faut alors couper le bras de l'esclave pour le dégager et espérer qu'il survive.
9. Dans le *Code Noir* de 1685, réglementant les droits des colons à disposer de leurs esclaves, l'article 38 est consacré à l'esclave fugitif.
10. Écus patagons : monnaie espagnole alors en cours dans les colonies sud-américaines.

la côte de Guinée, elle me disait : « Mon cher enfant, bénis
nos fétiches[1], adore-les toujours, ils te feront vivre heureux ;
tu as l'honneur d'être esclave de nos seigneurs les blancs, et
tu fais par-là la fortune de ton père et de ta mère. » Hélas !
20 je ne sais pas si j'ai fait leur fortune, mais ils n'ont pas fait
la mienne. Les chiens, les singes, les perroquets sont mille
fois moins malheureux que nous. Les fétiches hollandais[2]
qui m'ont converti me disent tous les dimanches que nous
sommes tous enfants d'Adam[3], blancs et noirs. Je ne suis
25 pas généalogiste ; mais si ces prêcheurs[4] disent vrai, nous
sommes tous cousins issus de germains[5]. Or vous m'avoue-
rez qu'on ne peut pas en user avec ses parents d'une manière
plus horrible.

   – Ô Pangloss ! s'écria Candide, tu n'avais pas deviné cette
30 abomination[6] ; c'en est fait, il faudra qu'à la fin je renonce à
ton optimisme. – Qu'est-ce qu'optimisme ? disait Cacambo.
– Hélas ! dit Candide, c'est la rage de soutenir que tout est
bien quand on est mal. » Et il versait des larmes en regardant
son nègre, et, en pleurant, il entra dans Surinam.

2 • Jean-François de Saint-Lambert : le premier héros noir à part entière

Militaire de carrière, Jean-François de Saint-Lambert se fait connaître
par ses contes philosophiques et notamment par son conte *Ziméo*,
publié en 1769, qui marque une génération de penseurs.

Dans le sillage de Voltaire, Saint-Lambert y dénonce le sort des esclaves noirs opprimés par les colons blancs. Mais il va plus loin : son

---

1. Fétiches : divinités des religions de l'Afrique
subsaharienne.
2. Fétiche hollandais : désigne ironiquement
les pasteurs protestants néerlandais.
3. Dans la Bible, Adam est le premier homme
créé par Dieu.

4. Prêcheurs : prêtres.
5. Cousins issus de germains : avoir un
arrière-grand-parent en commun.
6. Abomination : horreur, monstruosité.

personnage, un esclave révolté, est le personnage principal du conte et il porte un nom, Ziméo.

Fidèle lecteur de Jean-Jacques Rousseau, philosophe convaincu que l'homme, naturellement bon, est perverti par la société, Saint Lambert donne une profondeur psychologique inédite à ce premier héros noir constamment tiraillé entre sa bonté naturelle et la cruauté de la société qu'il combat.

Jean-François de Saint-Lambert (1716-1803)
Ziméo (1769)

Originaire du Bénin, John, dit « Ziméo », vit sur l'île de la Jamaïque après avoir été réduit en esclavage par les soldats portugais. Livré aux mains d'un maître cruel, Ziméo se rebelle avant de prendre la tête de la révolte des « Nègres marrons », anciens esclaves décidés à libérer leurs camarades martyrisés dans les plantations alentour. Saint-Lambert, qui esquisse ici un premier portrait du héros, montre un homme d'action aussi courageux que fin stratège.

John, ou plutôt Ziméo, car les Nègres marrons quittent d'abord ces noms Européens qu'on donne aux esclaves qui arrivent dans les colonies, Ziméo était un jeune homme de vingt-deux ans : les statues d'Apollon[1] et de l'Antinoüs[2] n'ont
5 pas des traits plus réguliers et de plus belles proportions. Je fus frappé surtout de son air de grandeur. Je n'ai jamais vu d'homme qui me parût comme lui né pour commander aux autres : il était encore animé de la chaleur du combat ; mais, en nous abordant, ses yeux exprimaient la bienveillance et la
10 bonté ; des sentiments opposés se peignaient tour à tour sur son visage : il était presque dans le même moment triste et gai, furieux et tendre. « J'ai vengé ma race et moi, dit-il ; hommes de paix, n'éloignez pas vos cœurs du malheureux Ziméo ;

---

1. Apollon : dans la mythologie grecque, dieu des arts et de la beauté masculine.

2. Antinoüs : proche de l'empereur romain Hadrien, Antinoüs (111-130) était connu pour sa très grande beauté.

n'ayez point d'horreur du sang qui me couvre, c'est celui du
15 méchant ; c'est pour épouvanter[1] le méchant que je ne donne
point de bornes[2] à ma vengeance. Qu'ils viennent de la ville,
vos tigres[3], qu'ils viennent et ils verront ceux qui leur res-
semblent pendus aux arbres et entourés de leurs femmes et de
leurs enfants massacrés : hommes de paix, n'éloignez pas vos
20 cœurs du malheureux Ziméo... Le mal qu'il veut vous faire
est juste. » Il se tourna vers nos esclaves et leur dit : « Choi-
sissez de me suivre dans la montagne, ou de rester avec vos
maîtres. »

À ces mots, nos esclaves entourèrent Ziméo et lui parlèrent
25 tous à la fois ; tous lui vantaient les bontés de Wilmouth[4] et
leur bonheur ; ils voulaient conduire Ziméo à leurs cabanes, et
lui faire voir combien elles étaient saines et pourvues de commodités[5] ; ils lui montraient l'argent qu'ils avaient acquis. Les
affranchis venaient se vanter de leur liberté ; ils tombaient en-
30 suite à nos pieds, et semblaient fiers de nous baiser les pieds en
présence de Ziméo. Tous ces Nègres juraient qu'ils perdraient
la vie plutôt que de se séparer de nous : tous avaient les larmes
aux yeux et parlaient d'une voix entrecoupée : tous semblaient
craindre de ne pas exprimer avec assez de force, les sentiments
35 de leur amour et de leur reconnaissance.

Ziméo était attendri, agité, hors de lui-même, ses yeux
étaient humides ; il respirait avec peine ; il regardait tour à
tour le ciel, nos esclaves et nous. « Ô grand Orissa, dieu des
noirs et des blancs ! Toi qui as fait les âmes ; vois ces hommes
40 reconnaissants, ces vrais hommes, et punis les barbares qui
nous méprisent et qui nous traitent comme nous ne traitons
pas les animaux, que tu as créés pour les blancs et pour nous. »

---

1. Épouvanter : faire peur, effrayer.
2. Bornes : limites.
3. Vos tigres : vos hommes sanguinaires
et féroces.

4. Paul Wilmouth : maître de Ziméo.
5. Pourvues de commodités : de tout le confort
domestique alors possible.

3 • Olympe de Gouges : la figure du « bon Nègre »

Femme de lettres et femme politique majeure du siècle des Lumières puis de la Révolution française, Olympe de Gouges est essentiellement connue pour avoir ardemment défendu l'égalité entre les femmes et les hommes.

Mais cette pionnière française du féminisme a aussi très tôt condamné l'esclavage. Cependant, loin de réclamer son abolition, Olympe de Gouges a toujours plaidé pour une vision réformiste visant uniquement à punir les abus de l'esclavage.

Son théâtre, éminemment politique, est l'espace qu'elle choisit pour revendiquer ce positionnement, incarné par celui qu'on appelait alors le « bon Nègre » : un esclave conciliant, toujours fidèle à un maître honnête et juste.

XTE 3

Olympe de Gouges (1748-1793)
Zamor et Mirza ou l'Esclavage des Noirs (1784),
acte III, scène 11

Zamor et Mirza ou l'Esclavage des Noirs est un drame en trois actes dont l'action se passe en Inde. Il raconte l'histoire de deux esclaves qui s'aiment, Mirza et Zamor. Zamor a tué son contremaître pour protéger Mirza. Condamnant ce crime, le gouverneur, Monsieur de Saint-Frémond, entend le faire exécuter.

Dans cette scène du dernier acte, Saint-Frémond, « bon maître », gracie Zamor avant de permettre au « bon Nègre », d'épouser Mirza. Cet heureux dénouement est l'indéniable preuve pour Olympe de Gouges que le réformisme est la voie à suivre car, par leur bonté naturelle, maître et esclave peuvent coexister pacifiquement.

ZAMOR. – Il n'y a plus d'espérance ; nos bienfaiteurs sont entourés de soldats. Embrasse-moi pour la dernière fois, ma chère Mirza !

MIRZA. – Je bénis mon sort, puisque le même supplice nous réunit. *(À un vieillard & une vieille Esclave.)* Adieu, chers auteurs de mes jours ; ne pleurez plus votre pauvre Mirza, elle n'est plus à plaindre. *(Aux Esclaves de son sexe[1].)* Adieu, mes compagnes.

---
1. De son sexe : ici, du genre féminin.

ZAMOR. – Esclaves, Colons, écoutez-moi : j'ai tué un homme, j'ai
mérité la mort ; ne regrettez point mon supplice, il est nécessaire
au bien de la Colonie. Mirza est innocente ; mais elle chérit son
10   trépas[1]. *(Aux Esclaves particulièrement.)* Et vous, mes chers amis,
écoutez-moi à mon dernier moment. Je quitte la vie, je meurs
innocent ; mais craignez de vous rendre coupables pour me défendre : craignez surtout cet esprit de faction[2], et ne vous livrez
jamais à des excès pour sortir de l'esclavage ; craignez de briser
15   vos fers[3] avec trop de violence ; attendez tout du temps et de
la justice divine, remplacez-nous auprès de M. le Gouverneur,
de sa respectable épouse. Payez-les par votre zèle[4] et par votre
attachement de tout ce que je leur dois. Hélas ! je ne puis m'ac-
quitter envers eux. Chérissez ce bon Maître, ce bon père, avec
20   une tendresse filiale, comme je l'ai toujours fait. Je mourrais
content si je pourrais croire du moins qu'il me regrette ! *(Il se
jette à ses pieds.)* Ah ! mon cher Maître, m'est-il permis encore de
vous nommer ainsi ?

M. DE SAINT-FRÉMONT, *avec une vive douleur.* – Ces paroles me
25   serrent le cœur. Malheureux ! qu'as-tu fait ? va, je ne t'en veux
point, je souffre assez du fatal[5] devoir que je remplis.

ZAMOR, *s'incline et lui baise les pieds.* – Ah ! mon cher maître, la mort
n'a plus rien d'affreux pour moi. Vous me chérissez encore, je
meurs content. *(Il lui prend les mains.)* Que je baise ces mains
30   pour la dernière fois !

M. DE SAINT-FRÉMONT, *attendri.* – Laisse-moi, laisse-moi, tu m'ar-
raches le cœur.

ZAMOR, *aux Esclaves armés.* – Mes amis, faites votre devoir. *(Il prend
Mirza dans ses bras, et monte avec elle sur le rocher, où ils se mettent à
35   genoux. Les Esclaves ajustent leurs flèches.)*

---

1. Elle chérit son trépas : elle désire mourir.
2. Faction : révolte, rébellion.
3. Fers : chaînes.

4. Zèle : dévouement.
5. Fatal : qui conduit à la mort.

II • AU XIXᵉ SIÈCLE : L'HÉROÏSME DU PERSONNAGE NOIR

Le XIXᵉ siècle s'ouvre sur des bouleversements historiques considérables qui, à terme, vont profondément modifier la perception du héros noir dans la littérature française. En effet, porté par l'idéal émancipateur de la Révolution française, se produit **en 1791 le soulèvement des esclaves de l'île de Saint-Domingue.** Cette révolte conduit les révolutionnaires français à abolir l'esclavage en 1794.

Si **Napoléon rétablit l'esclavage en 1802,** l'image de l'homme noir est cependant durablement métamorphosée. Les écrivains romantiques achèvent alors cette transformation en faisant du personnage noir un véritable héros aux enjeux politiques puissants.

> ### La révolte de Saint-Domingue
>
> En août 1791 se produit le soulèvement des esclaves noirs de l'île de Saint-Domingue qui massacrent les planteurs français blancs. Comme Claire de Duras qui s'en fait l'écho dans son récit (p. 47), la société française est alors choquée par cette violence que les fictions de Saint-Lambert et Olympe de Gouges avaient pourtant anticipée. Tous espèrent des troubles de courte durée. Mais, désormais guidée par la figure de Toussaint Louverture (1743-1803), la révolte de Saint-Domingue emporte l'adhésion des révolutionnaires français qui y voient un vent de liberté. Rebaptisée Haïti, la colonie française de Saint-Domingue devient la première république noire indépendante au monde le 1ᵉʳ janvier 1804.

C'est ce qu'entreprend **Victor Hugo**, chef de file du romantisme qui, en 1820, fait paraître *Bug-Jargal*, son premier roman qui revient sur la révolte de Saint-Domingue (● TEXTE 4). Avec *Georges*, publié en 1843 (● TEXTE 5), **Alexandre Dumas** s'inscrit dans la lignée de *Bug-Jargal* pour faire entendre la voix d'un héros noir. Dans un récit où romantisme et romanesque se côtoient, Dumas s'interroge sur la reconnaissance sociale que la société française est capable d'accorder à un homme noir.

À la croisée du littéraire et du politique, **Alphonse de Lamartine** offre avec son drame *Toussaint Louverture*, publié en 1850, l'exemple le plus accompli de la représentation du héros noir au XIXᵉ siècle (● TEXTE 6). Poète romantique puis député, Lamartine y rend hommage au héros de Saint-Domingue, Toussaint Louverture, dont il fait son personnage principal.

Dans l'histoire comme dans les livres, le héros noir incarne désormais une figure pleine d'humanité et de sagesse.

1 • Victor Hugo : le premier héros romantique

Pour Victor Hugo, chef de file du romantisme français, la littérature est un espace d'expression qui doit témoigner des préoccupations publiques contemporaines. Homme de lettres mais aussi homme politique, Hugo s'est toujours engagé en faveur de l'abolition de l'esclavage, comme l'atteste ce premier roman, *Bug-Jargal*, qu'il rédige en 1816, en moins de quinze jours.

L'auteur y retrace la révolte de Saint-Domingue de 1791 qui conduira à la proclamation de la République de Haïti. Bug-Jargal, le personnage principal du récit est un esclave épris de justice, luttant contre toute forme d'oppression politique et sociale.

TEXTE 4

Victor Hugo (1802-1885)
Bug-Jargal (1820-1826), chapitre X

Le narrateur, le capitaine Léopold d'Auverney, part aux Antilles, sur l'île de Saint-Domingue chez son oncle afin d'y épouser sa fille, Marie. Un soir, il fait la connaissance de Pierrot, un esclave de grande bravoure, qui sauve Marie de la mâchoire d'un crocodile. Car, si Pierrot n'a écouté que son courage, c'est parce qu'il est secrètement amoureux de Marie mais ne peut l'avouer, à cause de sa couleur de peau. Pour se venger de cet amour impossible et revendiquer ses droits, le jeune homme prendra le nom de Bug-Jargal et mènera la révolte des esclaves du Morne-Rouge.

Clés
5
> p. 107

Jusqu'à ce jour, la disposition naturelle de mon esprit m'avait tenu éloigné des plantations où les noirs travaillaient. Il m'était trop pénible de voir souffrir des êtres que je ne pou-
5 vais soulager. Mais, dès le lendemain, mon oncle m'ayant proposé de l'accompagner dans sa ronde de surveillance, j'acceptai avec empressement, espérant rencontrer parmi les travailleurs le sauveur de ma bien-aimée Marie.

J'eus lieu[1] de voir dans cette promenade combien le regard d'un maître est puissant sur des esclaves, mais en même temps

---

1. Lieu : l'occasion.

10 combien cette puissance s'achète cher ! Les nègres, tremblants
en présence de mon oncle, redoublaient sur son passage, d'efforts et d'activité ; mais qu'il y avait de haine dans cette terreur !

Irascible[1] par habitude, mon oncle était prêt à se fâcher de
n'en avoir pas sujet, quand son bouffon Habibrah, qui le sui-
15 vait toujours, lui fit remarquer tout à coup un noir qui, acca-
blé de lassitude, s'était endormi sous un bosquet de dattiers[2].
Mon oncle court à ce malheureux, le réveille rudement[3], et
lui ordonne de se remettre à l'ouvrage[4]. Le nègre, effrayé, se
lève, et découvre en se levant un jeune rosier du Bengale[5]
20 sur lequel il s'était couché par mégarde, et que mon oncle se
plaisait à élever. L'arbuste était perdu. Le maître, déjà irrité
de ce qu'il appelait la paresse de l'esclave, devient furieux
à cette vue. Hors de lui, il détache de sa ceinture le fouet
armé de lanières ferrées qu'il portait dans ses promenades,
25 et lève le bras pour en frapper le nègre tombé à genoux. Le
fouet ne retomba pas. Je n'oublierai jamais ce moment. Une
main puissante arrêta subitement la main du colon. Un noir
(c'était celui-là même que je cherchais !) lui cria en français :

« Punis-moi, car je viens de t'offenser ; mais ne fais rien à
30 mon frère, qui n'a touché qu'à ton rosier ! »

Cette intervention inattendue de l'homme à qui je devais le salut de Marie, son geste, son regard, l'accent impérieux[6] de sa voix, me frappèrent de stupeur. Mais sa généreuse
imprudence, loin de faire rougir mon oncle, n'avait fait que
35 redoubler la rage du maître et la détourner du patient à son
défenseur. Mon oncle, exaspéré, se dégagea des bras du grand
nègre, en l'accablant de menaces, et leva de nouveau son fouet
pour l'en frapper à son tour. Cette fois le fouet lui fut arraché de la

---

1. **Irascible** : coléreux, violent.
2. **Dattiers** : palmiers dont les fruits groupés
en régime sont les dattes.
3. **Rudement** : brutalement.

4. **À l'ouvrage** : au travail.
5. **Rosier du Bengale** : rosier buisson originaire
de la Chine.
6. **Impérieux** : catégorique, tranchant.

main. Le noir en brisa le manche garni de clous comme on brise
40 une paille, et foula sous ses pieds ce honteux instrument de vengeance. J'étais immobile de surprise, mon oncle de fureur ; c'était
une chose inouïe pour lui que de voir son autorité ainsi outragée.

2 • Alexandre Dumas : un personnage épique et romanesque

Avant d'être un écrivain reconnu, Alexandre Dumas a connu une enfance tourmentée. Né à Villers-Cotterêts, le jeune garçon est le fruit de
l'union de Marie-Louise Labouret, jeune femme de la bonne bourgeoisie
et du général révolutionnaire Thomas Alexandre Davy de la Pailleterie,
métis né à Saint-Domingue.

Très tôt orphelin de père, le jeune garçon métis se réfugie dans
l'écriture. Mais ce n'est qu'en 1843 que Dumas revient sur l'histoire de
son père, fils d'esclave noir, à travers son roman *Georges* s'inspirant en
grande partie de sa vie.

TEXTE 5 **Alexandre Dumas** (1802-1870)
Georges (1843), chapitre VI

*Dumas dévoile ici l'histoire des Munier, « gens de couleur » qui vivent
sur l'Isle de France (l'actuelle Île Maurice). Cette famille se distingue
par la bravoure de leur patriarche, Pierre, qui, à la tête d'une compagnie
d'hommes, battit les Anglais lors de la bataille navale de Grand Port,
qui opposa ces derniers aux Français dans la baie de l'Île Maurice.
Après leur avoir arraché leur drapeau en signe de victoire, il le confie à
son fils métis Georges, qui l'exhibe sur la place principale de Port-Louis.
Mais cet acte héroïque déchaîne la jalousie d'Henri de Malmédie, fils
d'un colon blanc qui, ne supportant pas qu'un Noir reçoive le moindre
honneur, blesse le jeune garçon d'un coup de sabre.
Dans cet extrait, Dumas raconte comment Georges, humilié, part étudier
en métropole pour, à son retour, mieux défier les colons.*

Seulement, il réfléchit plus profondément que jamais sur sa position[1], et comprit que la supériorité morale n'était rien sans la supériorité physique ; qu'il fallait l'une pour faire respecter l'autre, et que la réunion de ces deux qualités
5 faisait seule un homme complet. À partir de cette heure, il changea complètement de manière de vivre ; de timide, retiré, inactif qu'il était, il devint joueur, turbulent, tapageur[2]. Il travaillait bien encore, mais seulement assez pour conserver cette prééminence[3] intellectuelle qu'il avait ac-
10 quise dans les années précédentes. Dans les commencements, il fut maladroit, et l'on se moqua de lui. Georges reçut mal la plaisanterie, et cela à dessein[4]. Georges n'avait pas naturellement le courage sanguin[5], mais le courage bilieux[6], c'est-à-dire que son premier mouvement, au lieu de
15 le jeter dans le danger, était de faire un pas en arrière pour l'éviter. Il lui fallait la réflexion pour être brave, et quoique cette bravoure soit la plus réelle, puisqu'elle est la bravoure morale, il s'en effraya comme d'une lâcheté.

Il se battit donc à chaque querelle, ou plutôt il fut battu ;
20 mais vaincu une fois, il recommença tous les jours jusqu'à ce qu'il fût vainqueur, non pas parce qu'il était le plus fort, mais parce qu'il était plus aguerri[7], parce que au milieu du combat le plus acharné il conservait un admirable sang-froid, et que, grâce à ce sang-froid, il profitait de la moindre faute
25 de son adversaire. Cela le fit respecter, et dès lors on commença à regarder à deux fois pour l'insulter, car si faible que soit un ennemi, on hésite à engager la lutte avec lui quand on le sait déterminé ; d'ailleurs cette prodigieuse ardeur[8] avec laquelle il embrassait cette nouvelle vie portait ses fruits : la
30 force lui venait peu à peu ; aussi, encouragé par ces premiers

---

1. **Position** : place dans la société.
2. **Tapageur** : remuant.
3. **Prééminence** : supériorité.
4. **À dessein** : volontairement.

5. **Sanguin** : colérique.
6. **Bilieux** : hargneux, inquiet.
7. **Aguerri** : endurci.
8. **Ardeur** : vivacité, emportement.

essais, tant que durèrent les vacances suivantes, Georges n'ouvrit pas un livre ; il commença à apprendre à nager, à faire des
armes[1], à monter à cheval, s'imposant une fatigue continuelle,
fatigue qui plus d'une fois lui donna la fièvre, mais à laquelle il
35 finit cependant par s'habituer : alors aux exercices d'adresse
il ajouta des travaux de force : pendant des heures entières il
bêchait la terre comme un laboureur ; pendant des jours en-
tiers il portait des fardeaux comme un manœuvre[2] ; puis, le
soir venu, au lieu de se coucher dans un lit chaud et doux, il
40 s'enveloppait dans son manteau, se jetait sur une peau d'ours
et dormait là toute la nuit. Un instant, la nature surprise hésita, ne sachant si elle devait rompre ou triompher. Georges
sentait qu'il jouait sa vie, mais que lui importait sa vie, si sa
vie n'était pas pour lui la domination de la force et la supério-
45 rité de l'adresse ! La nature fut la plus puissante ; la faiblesse
physique, vaincue devant l'énergie de la volonté, disparut
comme un serviteur infidèle chassé par un maître inflexible[3].
Enfin, trois mois d'un pareil régime fortifièrent tellement le
pauvre chétif[4], qu'à son retour ses camarades hésitaient à le
50 reconnaître. Alors ce fut lui qui chercha querelle aux autres
et qui battit à son tour ceux qui l'avaient tant de fois battu.
Alors ce fut lui qui fut craint et qui, étant craint, fut respecté.

3 • Alphonse de Lamartine : un guide politique

À l'instar de Victor Hugo, Alphonse de Lamartine est un écrivain romantique qui a toujours su allier carrière littéraire et ambition politique.
Après son échec à l'élection présidentielle française de 1848, Lamartine
reprend l'écriture d'un drame poétique consacré à un personnage historique qui le fascine : Toussaint Louverture.

---

1. Faire des armes : s'entraîner au maniement
des armes à feu.
2. Manœuvre : ouvrier.

3. Inflexible : impitoyable, sévère.
4. Chétif : personne fragile physiquement.

Surnommé le « Napoléon noir » pour sa pugnacité et son intelligence tactique, Toussaint Louverture devient chez Lamartine une figure politique puissante mais fragile. Loin du chef de guerre à la tête des révoltés de Saint-Domingue, l'écrivain dresse un portrait tout en nuances du héros national de Haïti qui ne cherche qu'à défendre son peuple.

TEXTE 6 **Alphonse de Lamartine** (1790-1869)
Toussaint Louverture, « La Marseillaise noire »
(1834-1850), acte I, scène première

Dans ce drame historique en cinq actes et en vers, Lamartine met en scène les tourments insurrectionnels qui agitent l'île de Saint-Domingue. Avant de présenter Toussaint Louverture se préparant à diriger ses troupes, Lamartine choisit, dans cette scène d'exposition, de se concentrer sur la révolte qui gronde chez les esclaves. Tout en discutant avec Annah, une jeune femme noire, Samuel, l'instituteur, chante aux jeunes gens noirs qui l'entourent le chant révolutionnaire des esclaves : « La Marseillaise noire ».

ANNAH

La *Marseillaise* blanche a guidé les Français
Aux combats ; mais les noirs, grâce à Dieu, sont en paix !

SAMUEL

Aussi de l'air sacré[1] le noir changea la corde[2],
Le chant des blancs dit guerre ! et le nôtre concorde[3] !
5 Au cœur de tous les noirs soufflant l'humanité,
C'est un hymne d'amour et de fraternité.
Le sang a-t-il donc seul une voix sur la terre ?
Écoute ! et vous, enfants, retenez !

---

1. L'air sacré : le chant révolutionnaire.   **3. Concorde** : entente, harmonie.
2. La corde : la mélodie, les accords.

*À Annah, en lui montrant ses compagnes
qui causent et chantent à demi-voix.*

Fais-les taire !

*Il récite les trois couplets et fait chanter le refrain aux enfants.
Les jeunes filles y mêlent leurs voix peu à peu.*

La Marseillaise noire

I

10 Enfants des noirs, proscrits[1] du monde,
Pauvre chair changée en troupeau,
Qui de vous-même, race[2] immonde,
Portez le deuil sur votre peau !
Relevez du sol votre tête,
15 Osez réclamer en tout lieu
Des femmes, des enfants, un Dieu :
Le nom d'homme est votre conquête !

Refrain

Offrons à la concorde, offrons les maux[3] soufferts,
Ouvrons (ouvrons) aux blancs amis nos bras libres de fers[4].

II

20 Un cri, de l'Europe au tropique[5],
Dont deux mondes[6] sont les échos,
A fait au nom de République.

---

1. Proscrits : bannis, hors-la-loi.
2. Race : ici Lamartine fait référence
aux préjugés sur la couleur de peau.
3. Maux : malheurs.

4. Libres de fers : sans plus aucune chaîne.
5. Tropique : pays tropicaux.
6. Deux mondes : d'un côté, les Européens
colonisateurs, de l'autre, les peuples colonisés.

Là des hommes, là des héros.
L'esclave au fond de sa mémoire
25 Épelle un mot libérateur,
Le tyran se fait rédempteur[1] :
Dieu seul remporte la victoire !
Offrons à la concorde, offrons les maux soufferts,
Ouvrons (ouvrons) aux blancs amis nos bras libres de fers.

III

30 La Liberté partout est belle,
Conquise par des droits vainqueurs,
Mais le sang qui coule pour elle
Tache les sillons[2] et les cœurs.
La France à nos droits légitimes
35 Prête ses propres pavillons[3] ;
Nous n'aurons pas dans nos sillons
À cacher les os des victimes !
Offrons à la concorde, offrons les maux soufferts,
Ouvrons (tendons) aux blancs amis nos bras libres de fers.

III • AUX XXᵉ ET XXIᵉ SIÈCLE : DU HÉROS À L'ÉCRIVAIN NOIR

Les nombreux bouleversements historiques intervenus au cours du XXᵉ siècle (guerres de libération, décolonisation, accession à l'indépendance...) ont favorisé l'émergence d'une **nouvelle voix** : celle de l'**écrivain noir.** Rejetant l'image de l'homme noir soumis ou révolté, le XXᵉ siècle a construit une figure d'**homme libre à même de raconter sa propre histoire.** Ainsi, en France comme à l'étranger, nombre d'autrices et d'auteurs noirs ont fini par émerger en littérature.

---

1. Rédempteur : sauveur.
2. Sillons : longues tranchées ouvertes dans la terre d'un champ pour être cultivées.

3. Pavillons : drapeaux.

René Maran est le premier écrivain noir à s'imposer sur la scène internationale à la parution de son roman *Batouala* (● TEXTE 7) qui est couronné par le prix Goncourt.

Mis en lumière par cette première distinction, les écrivains de la «Négritude», comme **Roberte Horth**, interrogent la place des Noirs dans la société française de l'entre-deux-guerres. Jeune femme au destin tragique, elle s'impose avec sa nouvelle intitulée «**Une Histoire sans importance**» (● TEXTE 8) comme la première autrice noire de la littérature française. Un siècle après les tourments d'Ourika, Horth démontre, à travers l'histoire tragique de son héroïne Léa que les préjugés sociaux n'ont guère changé, en métropole, à l'égard des jeunes filles noires.

Si le XXᵉ siècle voit l'apparition d'auteurs africains majeurs d'expression française comme **Mariama Bâ** (*Une si longue lettre*, 1979) ou **Aminata Sow Fall** (*La Grève des bàttu*, 1979

> **Le mouvement littéraire de la «Négritude»**
>
> Encouragé par l'attribution du prix Goncourt à René Maran, un groupe d'écrivains noirs issus de la Martinique, la Guyane ou du Sénégal, créent, dans les années 1930, le mouvement de la «Négritude».
> D'origine littéraire, ce mouvement est aussi anticolonialiste: il refuse l'assimilation culturelle et milite pour la valorisation des cultures africaines. Parmi ses adeptes figurent les poètes Aimé Césaire, Léon-Gontran Damas ou Léopold Sédar Senghor, mais aussi la romancière Roberte Horth.

● LECTURES COMPLÉMENTAIRES, p. 115), les écrivains du XXᵉ siècle poursuivent leur réflexion sur l'identité noire à travers des personnages romanesques. Ainsi, en 2009, **Marie NDiaye** est-elle distinguée à son tour par le prix Goncourt pour son roman *Trois femmes puissantes* (● TEXTE 9) qui s'interroge sur la douloureuse condition des migrants qui fuient l'Afrique.

Enfin comment achever ce parcours sur le personnage noir sans évoquer le prix Goncourt attribué en 2021 à **Mohamed Mbougar Sarr** pour son ample roman, *La Plus Secrète Mémoire des hommes* (● TEXTE 10)? Ce roman propose à son tour une réflexion sur le personnage noir qui questionne son propre héroïsme en se projetant dans le rôle de l'écrivain noir.

1 • René Maran : un héros noir de l'écriture

Né à Fort-de-France en 1884, René Maran accomplit ses études de droit en Gironde avant de partir pour les colonies. En 1909, Maran s'établit en Afrique Équatoriale pour y occuper différents postes d'administrateur colonial. Il découvre la culture africaine qui le fascine et publie, en 1921, *Batouala* qui, dans un style réaliste, raconte le destin d'un chef de guerre, Batouala, aux prises avec la France coloniale.

TEXTE 7   **René Maran** (1887-1960)
Batouala. Véritable roman nègre (1921), © Albin Michel, 2021

Dans ce bref roman, René Maran dévoile l'histoire de Batouala, chef d'une tribu d'Oubangui-Chari en Afrique Équatoriale.
Se sentant vieillir, ce guerrier du pays banda s'interroge dans cet extrait sur le sens de son existence. Alors qu'il laisse vagabonder ses pensées au gré de ses activités quotidiennes, il questionne l'identité des peuples africains qu'il confronte à celle des colons blancs.

Batouala passa du manioc[1] aux vers blancs et des vers blancs aux patates douces. Entre deux ou trois bouchées, il engoulait une ou deux « copes »[2] de « kéné », bière faite de mil[3] fermenté.

Rassasié, il signifia d'un geste à Yassigui'ndja qu'il désirait
5 fumer encore. Et pendant longtemps, très longtemps, il tira à nouveau de son « garabo[4] », sans se presser, des bouffées courtes suivies d'expirations profondes.

Satisfait, à la longue, d'avoir si bien employé le commencement de sa journée, il prit soudain la décision d'examiner les
10 doigts de son pied gauche. Des chiques[5] avaient dû s'y établir à demeure.

Quelle sale engeance[6], que les chiques ! Le pauvre bon nègre est obligé à tout moment de chercher à voir s'il ne leur a pas donné asile en sa chair. Sinon, c'en est fait de lui. Et ces

---

1. Manioc : tubercule, comparable à la pomme de terre, cultivé dans les régions tropicales et subtropicales.
2. Il engoulait un ou deux « copes » : il buvait un ou deux coups.

3. Mil : céréale cultivée en Afrique subsaharienne notamment.
4. Garabo : sorte de pipe.
5. Chiques : puces, parasites.
6. Sale engeance : saleté.

15 bestioles mettent à profit sa négligence, pour lui pondre en n'importe quelle partie de son corps, mais plus particulièrement en ses doigts de pied, plus de leurs œufs qu'il n'est de femmes en un village populeux[1].

Il n'en est pas de même chez les blancs. Que l'une d'elles
20 s'avise seulement d'effleurer leur peau qui n'est que tendreté et faiblesse !

Se rendant compte aussitôt de sa présence, ils ne reprennent sentiment que lorsque « Missié boy[2] », toutes affaires cessantes, est parvenu à déloger le minuscule pou pénétrant qu'est
25 la chique, du minuscule bourrelet de chair qu'elle a choisi comme habitat.

Mais à quoi bon aborder ce sujet ? Ce n'est pas d'aujourd'hui qu'on sait que les hommes blancs de peau sont plus douillets que les hommes à peau noire.

30 Un exemple, entre mille. Personne n'ignore que les blancs, sous prétexte de faire payer l'impôt, forcent tous les noirs qui sont en âge de prendre femme, à se charger de colis volumineux, de l'endroit où le soleil se lève à celui où il se couche, et réciproquement.

35 Les trajets durent deux, trois, cinq jours. Peu leur importe le poids des colis dénommés « sandoukous ». Ce n'est pas eux qui plient sous le faix[3]. La pluie, le soleil, le froid ? Ce n'est pas eux qui en souffrent. Par conséquent, ils n'en ont cure[4]. Et vivent les pires intempéries, pourvu qu'ils soient à l'abri !

2 • Roberte Horth : une autrice de la « Négritude »

Roberte Horth traverse le début du XXᵉ siècle de manière aussi tragique que fulgurante. Née en Guyane en 1905, elle est, en 1921, la première

---

1. Populeux : très habité, très peuplé.
2. « Missié boy » : surnom donné aux serviteurs noirs.

3. Faix : poids, charge.
4. Ils n'en ont cure : ils n'en ont rien à faire.

jeune fille à suivre les cours du collège de Cayenne. Plus tard, elle poursuit à Paris des études de philosophie, fréquente des étudiants noirs et participe à la naissance du mouvement de la Négritude.

Mais en 1932, après s'être imposée comme la première autrice noire en publiant son unique texte « Une histoire sans importance » dans *La Revue du monde noir*, elle meurt prématurément à l'âge de 27 ans.

TEXTE 8

Roberte Horth (1905-1932)
« Une histoire sans importance » (1931), texte intégral

Alors qu'elle prépare l'agrégation de philosophie, Roberte Horth confie cette nouvelle aux sœurs Nardal qui dirigent La Revue du monde noir. *Dans ce bref récit, Horth raconte l'histoire de la jeune Léa qui, venue en métropole, exprime la violence de son déracinement.*
Comme Ourika, la jeune fille comprend qu'en dépit de son excellente instruction, l'assimilation ne peut exister : rien ne parviendra à faire oublier sa couleur de peau.

Léa. Un nom comme un autre, banal et court, sans signification aucune, sinon pour l'affection maternelle. Ses amis et ses camarades ne le peuvent concevoir : ils la baptisent de quelques onomatopées[1], évocatrice de fruits étranges, de
5 senteurs inconnues, de danses bizarres et de pays ignorés.

Par-delà les mers elle a laissé « une petite maison à volets verts sur une grève[2] sauvage ». Longtemps, face à l'horizon vide elle a bâti une ville de cristal et de rêve, un visage énorme, brillant et doux auquel elle donne un nom de pays chantant.
10 Elle entend dire que ce pays lointain est policé[3], courtois et que le peuple qui l'habite accueille tous les bons esprits.

Elle y vient. Un matin on la conduit à une immense caserne dont les cours sont profondes et tristes et les salles bruissantes. Un peuple d'enfants sous la domination d'une divinité invisible

---

1. Onomatopées : mots brefs imitant un cri, un son.
2. Grève : plage, rivage.
3. Policé : civilisé, éduqué.

15 et ferme. Léa a oublié ses flâneries[1] sur la grève, ses jeux sous le soleil. Elle n'est plus que volonté d'apprendre, de comprendre et de sentir. Une enfant comme les autres, susceptible mais rieuse, tout à la fois vive et lente. On la distingue[2]. Elle noue des amitiés solides et rares : elle est dévouée.

20 Léa quitte la ville où les femmes de grand cœur l'ont façonnée. Son âme virile[3] a suivi tour à tour les héros des littératures occidentales, son esprit soumis aux différentes disciplines a pris le pli d'une logique claire et précise. On a modelé sa raison, son cœur, ses manières.

25 Elle entre dans la grande maison[4] dont l'unique souci est de faire progresser les esprits sans aucune distinction de classe et de race. Des études approfondies lui découvrent l'originalité des penseurs, des savants, des artistes, la richesse inestimable des grands courants d'idées, la richesse inestimable du pays où elle 30 vit. Corps et âme elle se sent liée à lui. N'a-t-elle pas eu auprès de ses maîtres le succès que méritent des recherches longues, difficiles ? N'a-t-elle pas surpris dans le regard de ceux qu'elle essaie de comprendre une lueur de satisfaction ? N'excelle-t-elle pas parmi des milliers d'esprits qui viennent prendre leur 35 essor ? N'a-t-elle pas trouvé que courtoisie et liberté au sein de cette chère vieille Université… Elle est heureuse, dites-vous. Oui, du bonheur que l'on trouve dans l'étude ; du bonheur abstrait et aigu que donnent les pensées subtiles comprises, les habiles parallèles d'où jaillissent les futures vérités, le tour 40 d'esprit pénétrant, la plaisanterie qui irrite sans déchirer. Oui, heureuse d'un bonheur tout intellectuel dans ce royaume où les bons esprits se reconnaissent, se recherchent et s'apprécient.

Mais il y a le monde et ses plaisirs. Léa montre du goût pour la toilette[1]. Elle garde de la mesure dans le choix des 45 couleurs, donne dans l'excentricité de la mode sans tomber

---

1. Flâneries : longues promenades insou-
ciantes.
2. Elle est remarquée pour son intelligence.

3. Virile : courageuse.
4. La grande maison : l'université.

dans le ridicule et le moindre détail prend sur elle une valeur inédite. On la regarde comme on fait d'une belle arme, pièce de cabinet[2] que l'on montre aux curieux. Les vues courtes[3] ne peuvent concevoir que dans une gaine[4] si charmante se cache une lame polie et tranchante.

La musique a pour elle un charme étrange qui réveille en elle un je ne sais quoi venu de la profondeur des âges. Elle en épouse le rythme qui rend sa danse si aérienne. Au bal, elle est toute sensation, toute légèreté, instinctivement.

Elle est bien faite et de bonne éducation : on la recherche. Les brillantes réunions la voient passer vive, amusante : une poupée que l'on est fier de montrer à ses hôtes, un fruit étrange que l'on est flatté d'avoir découvert.

Elle a des amis qu'elle rencontre partout, hormis dans la douce atmosphère intime dont elle est privée. Entre la netteté des hommages[5] trop directs à son charme et la demi-sincérité des compliments d'usage[6], pas de place pour une pure et chaude affection. De vagues rêves de tendresse oubliés, refoulés par les études traînent en son cœur. Passe encore que « les esprits bornés et resserrés dans leurs petites sphères[7] », que « les âmes mortes[8] » ne voient en elle qu'un fétiche[9], mais que les meilleurs lui ouvrant toutes grandes les portes de leur trésor spirituel gardent bien closes celles de leur cœur, qu'on la flatte et la cajole dans les salons et qu'on n'ose point la traiter dans l'intimité comme une fille de ce peuple dont par l'éducation et par l'excellence de son esprit elle se sent issue, voilà qui passe la logique.

Elle ne sera jamais dans ce pays une femme comme toutes les autres femmes ayant droit à un bonheur de femme car elle

---

1. Elle aime bien s'habiller.
2. **Pièce de cabinet** : œuvre rare et recherchée.
3. **Les vues courtes** : les gens de peu d'esprit.
4. **Gaine** : fourreau où l'on range un couteau.
5. **Hommages** : compliments.
6. **Compliments d'usage** : formules de politesse.

7. Citation de Jean de La Bruyère (1645-1696), célèbre moraliste de la vie à la cour du roi Louis XIV.
8. Allusion à *Les Âmes mortes*, roman de l'écrivain russe Nicolas Gogol (1809-1852).
9. **Fétiche** : mascotte.

ne pourra jamais effacer pour les autres le non-sens de son
75 âme occidentale vêtue d'une peau scandaleuse. Elle soupire :
elle n'avait oublié qu'une petite chose sans importance : elle est
une sang-mêlée[1].

3 • Marie NDiaye : la réfugiée, une héroïne noire tragique contemporaine

Née en 1967 d'une mère française et d'un père sénégalais, Marie NDiaye publie son premier roman *Quant au riche avenir* en 1985, alors qu'elle est à peine âgée de 18 ans. C'est le début d'une remarquable carrière littéraire marquée par la publication d'une trentaine d'ouvrages.

Dans un univers oscillant entre réalisme social et rêverie fantastique, l'autrice interroge la question du déracinement dans *Trois femmes puissantes* récompensé par le prix Goncourt, en 2009.

TEXTE 9

Marie NDiaye (née en 1967)
Trois femmes puissantes (2009), © éd. Gallimard, 2009

Marie NDiaye livre dans ce roman trois récits distincts, qui évoquent trois destins de femmes unies par une force morale hors du commun. Le premier récit retrace l'histoire de Norah, brillante avocate parisienne qui retourne en Afrique sur les traces de son père. Le deuxième récit décrit le trajet de Fanta qui, après avoir quitté le Sénégal, se morfond dans la province française.
Le dernier récit évoque le destin de Khady, Africaine contrainte de fuir son pays. Le passage relate les derniers instants de cette jeune migrante.

Clés
6
> p. 110

Ils arrivèrent enfin dans une zone déserte éclairée de lumières blanches comme un éclat lunaire porté à incandescence[2], et Khady aperçut le grillage dont ils parlaient tous.

---

1. Sang-mêlée : métisse.

2. Porté à incandescence : extrêmement brillant.

Et des chiens se mirent à gueuler comme ils progressaient
5 toujours et des claquements rebondirent dans le ciel et Khady
entendit : Ils tirent en l'air, énoncé d'une voix que l'anxiété
rendait stridente, inégale, puis la même voix peut-être lança
le cri convenu[1], une seule interjection, et tout le monde se mit
à courir vers l'avant. Elle courait aussi, la bouche ouverte mais
10 incapable d'inspirer, les yeux fixes, la gorge bloquée, et déjà le
grillage était là et elle y appuyait son échelle, et la voilà qui
montait barreau après barreau jusqu'à ce que, le dernier degré[2]
atteint, elle agrippât le grillage. Et elle pouvait entendre autour
d'elle les balles claquer et des cris de douleur et d'effroi, ne sa-
15 chant pas si elle criait également ou si c'était les martèlements
du sang dans son crâne qui l'enveloppaient de cette plainte
continue, et elle voulait monter encore et se rappelait qu'un
garçon lui avait dit qu'il ne fallait jamais, jamais, s'arrêter de
monter avant d'avoir gagné le haut du grillage, mais les barbelés
20 arrachaient la peau de ses mains et de ses pieds et elle pouvait
maintenant s'entendre hurler et sentir le sang couler sur ses
bras, ses épaules, se disant jamais s'arrêter de monter, jamais,
répétant les mots sans plus les comprendre et puis abandonnant, lâchant prise, tombant en arrière avec douceur et pensant
25 alors que le propre[3] de Khady Demba, moins qu'un souffle, à
peine un mouvement de l'air, était certainement de ne pas toucher terre, de flotter éternelle, inestimable, trop volatile pour
s'écraser jamais, dans la clarté aveuglante et glaciale des projec-
teurs. C'est moi Khady Demba, songeait-elle encore à l'instant
30 où son crâne heurta le sol et où, les yeux grands ouverts, elle voyait
planer lentement par-dessus le grillage un oiseau aux longues
ailes grises – c'est moi, Khady Demba, songea-t-elle dans
l'éblouissement de cette révélation, sachant qu'elle était cet
oiseau et que l'oiseau le savait.

---

1. Pour franchir la frontière au bon moment, tous   **3. Propre** : particularité, singularité.
s'étaient mis d'accord sur un signal.
2. Degré : barreau de l'échelle.

4 • Mohamed Mbougar Sarr : un personnage d'écrivain noir

Né en 1990 à Dakar, Mohamed Mbougar Sarr poursuit de brillantes études qui le conduisent à Paris où il décide de se consacrer entièrement à l'écriture. Son œuvre aborde des sujets de société sensibles comme le djihadisme ou la place de l'homosexualité dans les sociétés africaines contemporaines.

En 2021, il reçoit le prix Goncourt pour son ambitieux roman : *La Plus Secrète Mémoire des hommes*. Dans ce savant récit qui recourt au procédé de « mise en abyme », le personnage principal est, comme son concepteur, un écrivain sénégalais.

TEXTE 10

Mohamed Mbougar Sarr (né en 1990)
La Plus Secrète Mémoire des hommes (2021),
© éd. Philippe Rey et Jimsaan, 2021

Délaissant la peinture sociale de l'Afrique à laquelle il avait habitué ses lecteurs, Mohamed Mbougar Sarr choisit, dans La Plus Secrète Mémoire des hommes, *de s'inspirer de l'histoire du mystérieux écrivain malien Yambo Ouologuem.*
Il retrace le cheminement d'un jeune auteur sénégalais, Diégane Latyr Faye, qui enquête sur un écrivain africain mythique, nommé Elimane. L'enquêteur-romancier fait la rencontre de différents personnages qui vont lui permettre d'en savoir plus sur Elimane.
Dans cet extrait, Faye fait la connaissance de l'étonnante Siga D., une romancière qui a côtoyé l'énigmatique écrivain noir.

C'était donc cela, écrire mon magnum opus[1], que je tentais de faire depuis un mois quand, une nuit de juillet, incapable de trouver la première phrase, je m'enfuis dans la rue parisienne. J'y déambulais, à l'affût du miracle. Il se

---

1. *Magnum opus* : en latin, « œuvre majeure ».

5   présenta à moi derrière la vitrine d'un bar, quand j'y reconnus
Marème Siga D., une écrivaine sénégalaise d'une soixantaine
d'années, que le scandale de chacun de ses livres avait trans-
formée, pour certains, en pythonisse malfaisante, en goule,
ou carrément en succube[1]. Moi, je la voyais comme un ange ;
10 l'ange noir de la littérature sénégalaise, sans qui cette dernière
serait un mortel cloaque[2] d'ennui où barbotent, semblables
à des étrons[3] mous, ces livres qu'ouvrent fatalement des descriptions d'un soleil éternel « dardant[4] ses rayons à travers
les feuillages », ou des vues sur ce visage romanesque uni-
15 versel dont les pommettes sont « saillantes », le nez « aquilin[5] » (ou « épaté[6] »), le front « bombé » ou « proéminent[7] ».
Siga D. sauvait la récente production littéraire sénégalaise de
l'embaumement pestilentiel[8] des clichés et des phrases exsangues[9], dévitalisées comme de vieilles dents pourries. Elle
20 avait quitté le Sénégal pour écrire d'ailleurs une œuvre dont
la seule obscénité était d'être radicalement honnête. Cela lui
avait valu un certain culte – et quelques procès auxquels elle
se rendait toujours sans avocat. Elle les perdait souvent ; mais
ce que j'ai à dire, affirmait-elle, se trouve là, dans ma vie,
25 alors je continuerai de l'écrire et d'emmerder vos attaques
minables.

Je reconnus Siga D., donc. J'entrai dans le bar et m'assis
non loin d'elle. Hormis nous, il y avait trois ou quatre clients
disséminés dans la salle. Le reste cherchait un peu d'air en
30 terrasse. Siga D. était seule à sa table, immobile. On aurait dit
une lionne qui guette une proie, tapie[10] dans les hautes herbes,
déchiquetant la steppe avec de grands yeux jaunes. La froideur

---

1. Pythonisse, goule, succube : prophétesse, vampire, diablesse.
2. Cloaque : bourbier, marais.
3. Étrons : déjections.
4. Dardant : lançant.
5. Aquilin : en bec d'aigle.

6. Épaté : écrasé.
7. Proéminent : saillant.
8. Embaumement pestilentiel : momification nauséabonde.
9. Exsangues : sans vie.
10. Tapie : cachée.

apparente de son attitude jurait avec le feu de son œuvre dont
le souvenir – pages somptueuses et péléennes[1], pages de silex et
35 de diamant – me fit douter, un temps, que ce fût cette femme,
si impassible, qui les avait écrites.

---

1. Péléennes : de la montagne Pelée, en Martinique.

Des clés
pour la lecture linéaire 5

📖 LIRE LE TEXTE

Lisez l'extrait à voix haute en suivant les indications suivantes.

• l. 01-12. Le narrateur précise d'abord les circonstances de son récit : optez pour un ton neutre. Dans les exclamatives du second paragraphe, faites entendre sa profonde compassion pour les esclaves.

• l. 13-27. En racontant la scène, rendez compte de la colère du maître contre l'esclave qui a écrasé son rosier. Ralentissez la vitesse de votre lecture, à la ligne 23, pour valoriser le geste héroïque du « grand nègre » (Pierrot).

• l. 27-42. La scène gagne encore en intensité. Vous devez faire sentir la stupeur du narrateur et son admiration pour cet esclave qui ose braver l'autorité de son oncle.

💬 EXPLIQUER LE TEXTE

Pour introduire

Situer le texte dans l'œuvre

Dans ce premier roman écrit très jeune, Victor Hugo se sert de la violente révolte de Saint-Domingue de 1791 pour dénoncer l'esclavage. Le narrateur est un capitaine, qui, à peine arrivé sur l'île, voit Marie, sa promise, sauvée de la mort par un valeureux esclave, Pierrot. Alors que le capitaine tente de le retrouver pour le remercier, il assiste à une scène particulièrement frappante dans une plantation.

Formuler la problématique

Comment cette scène permet-elle de dénoncer la violence de l'esclavage et de valoriser la bravoure du héros noir ?

Le texte étape par étape

I Le sort pathétique des esclaves (l. 01-12)

1. Pourquoi le narrateur s'est-il tenu éloigné jusque-là des plantations ?
 ▸ Que faut-il entendre par « disposition naturelle de mon esprit » ?
 ▸ Pourquoi visiter les plantations fait-il souffrir le capitaine ?

2. Pour quelle raison le narrateur se décide-t-il à accompagner son oncle ?
 ▸ Quelle est l'activité de l'oncle du capitaine ?
 ▸ Qui le capitaine cherche-t-il à retrouver dans la plantation ?

3. Quels sont les deux sentiments qui animent les esclaves ?
 ▸ Quel sentiment le maître fait-il régner sur sa plantation ?
 ▸ Quel sentiment suscite-t-il en retour ?

II La violence du maître (l. 13-27)

**4. Pourquoi l'oncle se met-il en colère contre l'esclave ?
Cette colère est-elle présentée comme légitime ?**
 ▸ Qu'est-il dit du caractère de l'oncle ?
 ▸ Relevez les faits qui suscitent sa colère.

5. Comment s'exerce la violence du maître contre l'esclave ?
 ▸ Comment Victor Hugo oppose-t-il l'attitude du maître et de l'esclave ?
 ▸ Relevez les termes qui montrent la violence du maître.

**6. Qu'est-ce qui met fin au supplice de l'esclave ?
Comment cette intervention est-elle racontée ?**
 ▸ Soulignez l'effet de suspens.
 ▸ Commentez le geste et la réplique qui l'accompagne.

III La bravoure héroïque de l'esclave (l. 27-42)

7. Pourquoi le narrateur est-il frappé de « stupeur » ?
 ▸ Relevez les trois éléments qui provoquent l'étonnement du narrateur.
 ▸ Que disent-ils de Pierrot, le « défenseur » ?

8. Montrez que l'esclave prend une dimension héroïque.

▸ Relevez une comparaison qui valorise sa force hors du commun.

▸ Comment, dans la dernière phrase, Hugo souligne-t-il son héroïsme ?

Conclusion

À travers cette scène et la figure de Pierrot, Victor Hugo dénonce la violence de l'esclavage. Pierrot incarne ici une figure héroïque, qui relève du registre épique : celui de l'esclave qui se révolte contre un maître injuste.

🔍 LA QUESTION DE GRAMMAIRE

9. Dans la phrase qui suit, relevez les propositions et analysez leurs relations : « Les nègres, tremblants en présence de mon oncle, redoublaient sur son passage, d'efforts et d'activité ; mais qu'il y avait de haine dans cette terreur ! » (l. 10-12).

▸ Repérez les verbes et comptez les propositions. Puis analysez les relations entre les propositions (juxtaposition, coordination, subordination).

🚶 POUR ALLER PLUS LOIN

10. Recherche lexicale • Lignes 13-28 : relevez les termes évoquant l'exaspération du maître et la violence exercée contre l'esclave.

▸ Le premier mot que vous pouvez relever est l'adverbe « rudement ». Les autres termes sont des adjectifs, des noms ou des verbes.

11. Lecture d'image • Reportez-vous au tableau de Théodore Géricault, *Étude d'homme, d'après le modèle Joseph* (voir l'image sur le rabat en couverture).

a. Montrez comment le peintre romantique fait de son modèle un personnage profondément humain et suscite l'empathie du spectateur.

b. Comparez cette représentation avec celle de Pierrot dans le texte.

▸ Par quelles techniques picturales Théodore Géricault dévoile-t-il l'humanité de son personnage ?

Des clés
pour la lecture linéaire 6

La condition
inhumaine des migrants
Trois femmes puissantes, pages 102-103

📖 LIRE LE TEXTE

Lisez l'extrait à voix haute en suivant les indications suivantes.

• l. 01-13. Lisez doucement pour ménager les effets de surprise.

• l. 13-29. Le passage n'est qu'une seule et longue phrase : accélérez la vitesse de lecture pour souligner la montée de la tension.

• l. 29-35. La fin est tragique : ralentissez le rythme de lecture et soulignez la gravité du moment.

💬 EXPLIQUER LE TEXTE

Pour introduire

Situer le texte dans l'œuvre

Dans les dernières pages de *Trois femmes puissantes*, Marie NDiaye raconte l'histoire de Khady, jeune migrante cherchant à fuir son pays pour vivre librement en Occident. Hélas, le passage de la frontière ne se passe pas comme prévu : la jeune femme noire rencontre tragiquement la mort.

Formuler la problématique

À travers le sort tragique de Khady, qu'est-ce que cette scène dit de la condition des migrants ?

Le texte étape par étape

I Une situation inhumaine (l. 01-13)

1. Où la scène se situe-t-elle ? Comment le lieu est-il caractérisé ?

▸ Quel terme dans la première phrase renseigne sur le caractère abandonné du lieu ?

▸ Pourquoi Marie NDiaye choisit-elle d'employer l'adjectif « lunaire » ?

2. Quels éléments déclenchent l'angoisse de Khady ?

▸ Quel est le rôle des chiens ? Que signifient les « claquements » ?

▸ Comment la voix est-elle qualifiée ? Pourquoi ?

3. Comment le caractère inhumain de la situation est-il dénoncé ?

▸ Quels sont les faits et gestes de Khady ?

▸ Pourquoi ne prononce-t-elle pas un mot ?

Ⅱ Une effroyable poursuite (l. 13-29)

4. D'où vient le sentiment de panique de Khady ? Comment se manifeste-t-il ?

▸ Décrivez précisément la situation des migrants dans ce passage.

▸ Comment la panique se traduit-elle physiquement chez l'héroïne ?

5. Dans quelle mesure l'héroïne croit-elle réussir à se sauver ?

▸ Relevez les termes qui montrent que Khady espère passer le grillage.

▸ Par quel procédé la romancière rend-elle compte de ses pensées ?

6. Comment comprend-on que l'héroïne renonce à fuir et va mourir ?

▸ Relevez quatre verbes évoquant la chute. Que dire du dernier ?

▸ Khady est-elle actrice ou spectatrice de la scène ? Commentez ses pensées au moment de la chute.

Ⅲ Une mort tragique (l. 29-35)

7. Par quels procédés Marie NDiaye souligne-t-elle la violence de la mort de son héroïne ?

▸ Comment Khady meurt-elle ?

▸ Pourquoi est-il fait mention de ses « yeux grands ouverts » ?

8. Quel registre littéraire domine ce passage ?

▸ Notez que la mort de Khady est inéluctable.

9. Comment interpréter la comparaison finale avec l'oiseau ?

▸ Montrez comment cette comparaison est préparée.

▸ Analysez la dimension symbolique de l'oiseau.

▸ Pourquoi est-il question d'un « éblouissement » ?

Conclusion

À travers la mort de Khady, Marie NDiaye raconte la tragédie contemporaine de nombre d'hommes et de femmes noirs venus d'Afrique. Derrière le mot de « migrants » se cache un drame individuel et poignant que la romancière a voulu mettre en lumière dans son récit.

LA QUESTION DE GRAMMAIRE

10. Quelle est la valeur des temps employés dans cette phrase ?

« Ils tirent en l'air, énoncé d'une voix que l'anxiété rendait stridente, inégale, puis la même voix peut-être lança le cri convenu, une seule interjection, et tout le monde se mit à courir vers l'avant » (l. 6-9).

▸ Vous devrez repérer 4 verbes. Tous ces verbes doivent être à l'indicatif car l'action est présentée comme certaine.

▸ Quel est le temps de base du récit ? Il est utilisé pour deux de ces verbes. Un verbe est à l'imparfait, un autre est au présent. Interrogez-vous sur la valeur de ce présent dans un récit au passé.

POUR ALLER PLUS LOIN

11. Recherche lexicale • Lignes 4 à 29 : relevez les mots évoquant les bruits associés à cette scène. Montrez qu'ils contribuent à créer un climat d'angoisse.

▸ Vérifiez que vous avez relevé deux fois le nom « cri », ainsi que le verbe dérivé.

▸ N'oubliez pas les adjectifs ou les noms caractérisant les voix.

▸ D'où viennent les « gueulements » et « claquements » ? Comment leur répondent les voix ?

12. Travail d'écriture • En lien avec l'expérience tragique de Khady, visionnez le film *Fuocoammare* de Gianfranco Rosi (2016), qui traite de la crise des migrants en Méditerranée. Analysez comment Rosi souligne combien les autorités sont indifférentes à leur sort.

▸ Comment le film décrit-il l'arrivée de migrants au large de l'île de Lampedusa ?

▸ Comment le réalisateur a-t-il soin de les individualiser ?

▸ Que montre-t-il en filmant parallèlement la vie des habitants sur l'île ?

DES IDÉES DE *lectures complémentaires*

Voici un choix de quatre œuvres qui prolongent l'étude des héros et héroïnes noirs dans la littérature française.

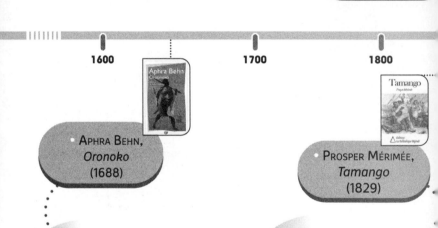

• **CLAIRE DE DURAS,** *OURIKA* (1823)

1600   1700   1800

• **APHRA BEHN,** *Oronoko* (1688)

• **PROSPER MÉRIMÉE,** *Tamango* (1829)

Dans la littérature mondiale, c'est le premier récit qui met en scène un personnage noir. Parue en 1688, cette œuvre baroque raconte l'histoire tourmentée et héroïque du valeureux Oronoko, prince de Cormantine.

Avec cette nouvelle, Mérimée offri un récit entre tragédie et ironie. Intrépide guerrier de l'Afrique de l'Ouest, Tamango vend des escla aux négriers contre des armes et de l'alcool. Mais, un soir, il livre sa propre femme…

GEORGE SAND,
Indiana
(1832)

Profondément marquée par la lecture d'*Ourika*, George Sand rédige *Indiana*, son premier grand roman dans lequel elle interroge aussi bien le destin des créoles que le sort des femmes dans la société française.

1900

AMINATA SOW FALL,
La Grève des bàttu
(1979)

Romancière majeure du xxᵉ siècle, Aminata Sow Fall livre avec *La Grève des bàttu* un récit social des plus poignants. Situé au Sénégal, ce roman raconte la révolte de mendiants contre un homme politique qui refuse leur présence dans la ville.

DOS SIER

Un récit inspiré du classicisme

À la parution, en 1823, d'*Ourika* dont le succès est triomphal, Stendhal, romancier contemporain de Claire de Duras, surprend le public en saluant **la finesse de ce récit**, propre à l'esthétique classique.

En effet, alors que ce début de XIXᵉ siècle est dominé par l'exaltation des écrivains romantiques qui privilégient le culte du Moi et l'expression lyrique des sentiments (● AVANT-TEXTE, p. 11), le récit de Claire de Duras, **tout en sobriété**, s'inspire plutôt de l'écriture rigoureuse des écrivains classiques.

Pour construire son récit, l'autrice s'appuie sur trois caractéristiques de l'esthétique classique : la nouvelle historique revendiquée notamment par Madame de Lafayette ; les règles strictes de la tragédie classique et notamment celle des trois unités ; et ce que Stendhal louait par-dessus tout, l'art du moraliste.

I • Une nouvelle historique héritée du classicisme

Se démarquant des amples romans historiques à multiples rebondissements en vogue au début XIXᵉ siècle[1], l'autrice d'*Ourika* choisit de revenir à la forme plus brève de la nouvelle historique. Elle emprunte à ce genre narratif majeur de la littérature classique du XVIIᵉ siècle, illustré par *La Princesse de Montpensier* (1662) et *La Princesse de Clèves* (1678) de Madame de Lafayette, son **authenticité** et sa **concision**.

1 L'authenticité de la nouvelle historique

La nouvelle historique classique prend toujours pour cadre des événements historiques s'inscrivant dans une **temporalité réelle** qui obéit à une **triple exigence d'authenticité**.

---

1. Le succès d'*Ivanhoé* (1819) de l'écrivain écossais Walter Scott (1771-1832) lance alors la mode du roman historique, influençant notamment *Notre-Dame de Paris* (1831) de Victor Hugo, *Les Trois mousquetaires* (1844) d'Alexandre Dumas et *Le Comte de Monte Cristo* (1846) d'Alexandre Dumas et Auguste Maquet.

● Une histoire vraie

• La nouvelle historique doit toujours prendre appui sur une histoire vraie. Ainsi, l'histoire de la princesse de Montpensier puise-t-elle dans celle de Renée d'Anjou (1550-1586), figure historique ayant réellement existé.

• De même, l'histoire d'Ourika s'inspire – jusqu'au prénom du personnage – de la vie d'une jeune esclave sénégalaise arrachée à sa condition par le chevalier de Boufflers en 1786 puis ramenée en France (● AVANT-TEXTE, p. 7).

● Des événements historiques soigneusement choisis et volontairement restreints

• Ce choix restrictif a pour but de ne proposer au lecteur que les **informations utiles** pour comprendre la psychologie du personnage, comme dans *La Princesse de Clèves* qui a valu à ce roman d'être qualifié de « roman psychologique ».

• Ainsi, lorsqu'Ourika déplore « l'état d'anxiété et de terreur » (l. 424) généré par la Révolution française, ce propos permet au lecteur de mesurer son degré d'**assimilation au milieu aristocratique** dont elle va jusqu'à adopter le point de vue contre-révolutionnaire. Il en est de même lorsqu'elle désapprouve la révolte des esclaves de 1791 à Saint-Domingue, ainsi qu'on atteste la véhémence de ses propos : « je m'étais affligée d'appartenir à une race proscrite ; maintenant j'avais honte d'appartenir à une race de barbares et d'assassins » (l. 352-354).

• Le nombre limité des propos et événements rapportés vise à détourner la nouvelle historique de toute invention romanesque afin de concentrer le récit sur le **réalisme des histoires racontées**.

● Un récit enchâssé

• Pour renforcer l'authenticité de l'histoire qu'elle raconte, Claire de Duras emploie la **technique du récit enchâssé**[1] qui, dans l'esthétique classique, fournit toujours un **gage de réalisme.**

• Le texte débute par le récit, à la première personne, d'un médecin qui vient visiter une sœur malade, qui se trouve être Ourika (l. 4, p. 15).

---

1. Un **récit enchâssé** est un récit emboîté dans un autre récit qui lui sert de cadre et qui est désigné comme le **récit-cadre.**

C'est ensuite la jeune femme noire qui, dans un **récit enchâssé**, raconte ses mésaventures à la première personne (l. 1, p. 23), avant que le **récit-cadre** du médecin ne se referme pour tirer la morale de l'histoire (l. 985).

• Ainsi structuré, le récit qui livre la poignante confession de l'héroïne invite à une **sobriété narrative** qui constitue une deuxième spécificité de l'écriture classique.

2 Une écriture concise

• Conformément à l'esthétique classique, Claire de Duras opère, à la manière de Madame de Lafayette, des choix narratifs concis. Comme l'autrice de *La Princesse de Clèves*, elle ne s'attarde ni sur les portraits ni sur les descriptions.

• Les protagonistes d'*Ourika* se réduisent à **quelques traits corporels** qui, comme dans le portrait classique, permettent essentiellement d'éclairer leur condition sociale. Ainsi est-il fait **uniquement mention de la «couleur»** (l. 212) d'Ourika : cette métonymie[1] est employée cinq fois dans le récit et complétée une seule fois par le complément du nom «de peau». À cette «couleur» de peau (l. 793) est associée «la beauté de [la] taille» (l. 83-84, p. 28) de la jeune fille. En se limitant à ces **deux caractéristiques physiques** de son personnage, Claire de Duras laisse entendre qu'en dépit de sa beauté, la couleur de peau de son héroïne l'empêche de vivre dans le milieu aristocratique de sa «bienfaitrice».

• À la rareté du portrait fait écho l'**absence de description spatiale**. Contrairement aux écrivains romantiques qui, à la même époque, célèbrent avec lyrisme et force détails les merveilles de la nature, les paysages ne sont jamais dépeints. Lorsqu'est mentionnée «la forêt de Saint-Germain», ce n'est pas pour évoquer les vertus de ce cadre champêtre. De fait, ce lieu de villégiature, où se «promenait tous les matins» (l. 478-479) madame de B. et les autres membres de l'aristocratie, apparaît ici comme un **marqueur social** qui suggère le milieu clos dont le personnage noir d'Ourika est exclu.

• **Rares mais jamais gratuites**, les quelques informations livrées sur le physique des personnages comme sur le cadre spatial du récit illustrent

---

1. Métonymie : procédé littéraire qui consiste à remplacer un élément par le nom d'un autre en raison d'un lien de dépendance.

le **souci de concision** d'une esthétique fortement marquée par les règles strictes de la tragédie classique.

II • Une tragédie classique ?

Ourika n'est pas à proprement parler une tragédie classique. Mais l'influence de ce genre caractéristique de la littérature classique du XVIIe siècle est manifeste dans le récit de Claire de Duras qui observe à bien des égards la règle des trois unités et qui place son intrigue sous le poids de la fatalité.

1 La règle des trois unités

À l'exception notable de l'absence de l'unité de temps, l'histoire racontée s'étendant sur plusieurs années, *Ourika* respecte globalement la règle des trois unités du théâtre classique.

▶ L'unité de lieu

• Le récit observe l'unité de lieu, l'action se déroulant dans un **cadre spatial restreint** : les salons de madame de B. où se tient « la conversation des hommes les plus distingués de ce temps-là » (l. 32-33, p. 24-25).

• Symbolisant le **microcosme social des aristocrates**, cet univers clos est d'autant plus replié sur lui-même que par crainte de la Terreur tous les amis de madame de B. « étaient cachés ou en fuite » (l. 401).

▶ L'unité d'action

• Le récit de Claire de Duras se conforme également à la règle d'unité d'action. Comme dans toute tragédie classique, l'action repose sur une seule et unique intrigue : le **drame de l'inavouable passion d'Ourika** pour Charles, lui-même amoureux d'une autre femme.

• Cette intrigue amoureuse, bâtie sur le schéma racinien du type « A aime B qui ne l'aime pas mais qui aime C » est **linéaire** et se noue, comme dans le théâtre classique du XVIIe siècle, autour d'un **nombre limité de personnages** : Ourika, Charles, madame de B. et la marquise de... Parce qu'ils en sont issus ou qu'ils baignent, comme Ourika, dans le milieu aristocratique qui les préserve de tout souci matériel, ces

quatre personnages se concentrent uniquement sur ce drame sentimental dont Ourika est la grande victime.

2 Une fatalité tragique

• Comme dans le théâtre classique, l'intrigue se déploie sous le signe de
la fatalité tragique. D'emblée **condamnée par ses origines**, Ourika fait le
constat suivant : «mon malheur, c'est l'histoire de toute ma vie» (l. 59-60,
p. 21) et admet être le «jouet insensé des mouvements involontaires de
[son] âme» (l. 943-944). La fatalité qui la pousse à sombrer dans cet inexo-
rable malheur ne tient cependant pas comme dans la tragédie antique à
un destin décidé par des dieux vengeurs.

• À l'instar des tragédies classiques de Jean Racine notamment, Ourika
est victime de la société dans laquelle elle vit et, par-dessus tout, du **poids
des préjugés** qui la condamnent pour sa couleur de peau. Ainsi que le
souligne la marquise de… : «Ourika n'a pas rempli sa destinée : elle s'est
placée dans la société sans sa permission ; la société se vengera» (l. 168).

• Même si «ce mal sans remède de [sa] couleur» (l. 500) provient de
l'ordre social instauré par l'**injustice des hommes**, la détresse d'Ourika
rongée par sa passion pour Charles n'en est pas moins profonde. Et seul
un **récit de moraliste**, dans la tradition du xviie siècle classique, parvient
à éclairer l'âme de cet être profondément tourmenté.

III • Un récit de moraliste

Pour mener ce travail d'analyse, Claire de Duras emprunte aux moralistes
du Grand siècle, parmi lesquels figurent La Rochefoucauld et La Bruyère,
deux spécificités : le récit d'édification morale et l'art de la maxime.

1 Un récit d'édification morale

• Dans le sillage de Madame de Lafayette, *Ourika* propose un **décryptage de
la passion amoureuse** de l'héroïne qui, se livrant à une autoanalyse, s'interroge sur ses sentiments : «Qu'ai-je fait pour être condamnée à n'éprouver
jamais les affections pour lesquelles mon cœur est créé !» (l. 796-798).

• Cependant, dans la pure tradition des récits d'analyse du xviie siècle,
Claire de Duras propose une **vision pessimiste de l'amour**, illustrée par ce

constat désabusé d'Ourika : « Tout est inutile dans ma vie, madame, même ma douleur » (l. 833-834).

• Source de malheur pour l'héroïne, la passion est associée à une série d'images négatives qui s'inscrivent dans le cadre d'un récit d'édification morale. Pour édifier le lecteur sur le **caractère destructeur de la passion amoureuse**, cette « passion criminelle » (l. 869) est comparée à un « ver qui dévore le fruit », à un « germe de la destruction » (l. 664-667). Il ne reste plus donc qu'à en tirer les leçons qui s'imposent, ainsi que le fait Ourika qui dit devoir son salut à la **préservation de sa raison** : « j'avais conservé ma raison et une sorte d'empire sur moi-même » (l. 664-665). C'est sa raison qui la pousse à préférer finir seule dans un couvent où, retirée du monde, elle n'aura jamais à avouer ses sentiments à Charles.

2 Un art de la maxime

• En ce début du xixe siècle où parait *Ourika* (1823), le mal d'aimer renvoie immanquablement à l'expression d'un amour romantique malheureux. Pourtant, si Ourika est en partie une héroïne romantique, « mécontente » (l. 593) de son sort, son témoignage n'est pas seulement l'expression d'une détresse individuelle, il permet de tirer des **leçons universelles sur le genre humain**.

• À l'instar de La Rochefoucauld à l'époque classique, Claire de Duras énonce des **vérités générales** sous la forme de **maximes** et d'**aphorismes**, tels : « Il y a des illusions qui sont comme la lumière du jour ; quand on les perd, tout disparaît avec elles » (l. 178-180), ou « Le bon goût est à l'esprit ce qu'une oreille juste est aux sons » (l. 41-42, p. 25) ou encore « le chagrin est comme l'éloignement, il fait juger l'ensemble des objets » (l. 240-241).

• Duras donne ainsi des **règles de conduite morale** au présent de vérité générale. Comme dans les récits de moraliste, l'histoire d'Ourika obéit à une logique universelle.

> **RÉCAPITULATIF**

Une nouvelle historique
• Un récit fondé sur une histoire vraie avec un cadre historique restreint
• Un récit enchâssé comme gage de réalisme
• Des choix narratifs concis

Un récit inspiré du classicisme

3

Un récit de moraliste
• Il décrypte les mécanismes de la passion amoureuse
• Il fait l'éloge de la raison contre les égarements du cœur
• Il propose des maximes universelles sur le genre humain

2

Une nouvelle proche de la tragédie classique
• Le milieu fermé des aristocrate comme unité de lieu
• L'histoire d'amour impossible d'Ourika comme unité d'action
• Le poids des préjugés comme fatalité tragique

Ourika : une héroïne romantique

Si les influences classiques de Claire de Duras sont manifestes, Ourika, personnage créé au XIXe siècle, n'en demeure pas moins une héroïne de son temps. Elle incarne le romantisme au féminin, comme le fait d'emblée remarquer à l'autrice son ami et fondateur de ce mouvement littéraire François-René de Chateaubriand.

Tel *René* de Chateaubriand (1802), Ourika souffre du « mal de vivre » et de la solitude du héros romantique. Comme son prédécesseur, elle est une « enfant du siècle », déçue par la Révolution et sans perspective d'avenir.

> **Le héros romantique**
>
> Parmi les plus célèbres, on distingue :
> • René, dans *René* de Chateaubriand (1802)
> • Le jeune poète des *Méditations poétiques*, de Lamartine (1820)
> • Hernani, dans *Hernani* de Hugo (1830)
> • Julien Sorel dans *Le Rouge et le Noir* de Stendhal (1830)
> • Lorenzaccio dans *Lorenzaccio* de Hugo (1834)
> • Chatterton dans *Chatterton* de Vigny (1835)
> • Lucien dans *Illusions perdues* de Balzac (1843).

I • Ourika ou le « mal de vivre »

Dans le courant romantique, le mal de vivre, souvent associé au sentiment d'être mal aimé, pousse le héros à la mélancolie.

1 La mal aimée

• Ourika est en effet un **personnage en mal d'amour**. Malgré la profonde affection de madame de B..., sa « bienfaitrice », qui lui a permis de connaître une vie « heureuse » (l. 78, p. 26) à son arrivée à Montpellier, elle n'échappe pas, à l'adolescence, aux **tourments de la passion amoureuse**. Éprise de Charles, le petit-fils de madame de B. qui lui préfère Anaïs de Thémines, Ourika supporte mal l'indifférence du jeune homme qui lui cause de « bien longues souffrances » (l. 49-50, p. 17).

• Cette «passion sans espoir» (l. 876), qui suscite chez la protagoniste des «sentiments pénibles» (l. 44, p. 17) et «amers» (l. 71, p. 26), la pousse, lorsqu'elle reçoit la visite du médecin appelé à son chevet, à livrer les **mémoires de son âme**.

• Au cours de son **récit qui s'apparente à une confession**, Ourika n'hésite plus à dire sa douleur, clamant à deux reprises: «Je souffrais le martyre!» (l. 533) et «Je souffrais tant» (l. 690), ou déclarant encore: «mon malheur, c'est l'histoire de toute ma vie» (l. 59-60, p. 21). Sa parole émotive, dominée par le **registre pathétique de la plainte**, est l'expression lyrique de son moi fragile, torturé par un mal plus profond: la **mélancolie**. Ce qui fait d'elle une héroïne pleinement romantique.

2) La mélancolie au féminin

• Mal aimée, comme le héros romantique, Ourika est un être mélancolique, ainsi que le constate la marquise de...: «je ne puis voir, sans une véritable peine, la mélancolie dans laquelle vous vous plongez» (l. 811-812). Lucide sur ce mal qui la ronge, la jeune fille est le premier personnage féminin romantique à définir sa mélancolie: «Cet affreux sentiment de l'inutilité de l'existence est celui qui déchire le plus profondément le cœur: il me donne un tel dégoût de la vie, que je souhaitai sincèrement mourir de la maladie dont j'étais attaquée.» (l. 713-716).

• Ce **dégoût de la vie** ou «*taedium vitae*», selon l'expression du philosophe stoïcien Sénèque, reprise par les romantiques, plonge la jeune femme dans un **état de langueur** qui la pousse au **désespoir**, l'amenant à déclarer: «Tout est inutile dans ma vie, madame, même ma douleur» (l. 833-834). En décidant d'entrer au couvent, loin du monde aristocratique où elle a tant souffert, Ourika signe sa condamnation à la solitude, comme le héros romantique.

II • Une héroïne condamnée à la solitude

Pour mettre en évidence cette caractéristique du héros romantique, Claire de Duras place son **récit sous le signe de cet isolement** en choisissant d'inscrire en ouverture ces vers de Lord Byron, figure majeure du romantisme anglais: «C'est là ce que j'appelle être seul; c'est là, c'est là la solitude!» (p. 14).

Aussi extrême que le souligne le poète, la solitude d'Ourika est si profonde sur les plans affectif et social qu'elle n'en est que plus pathétique.

1 Une solitude pathétique

• « Pauvre Ourika ! je la vois seule, pour toujours seule dans la vie » (l. 135-136), déclare « avec tristesse » madame de B. à son amie la marquise de... auprès de qui elle **s'apitoie sur le sort de la jeune fille**. Cette **sombre prédiction** témoigne de la **compassion** de cette « bienfaitrice » à l'égard de sa protégée, tout aussi convaincue de son triste sort.

• **S'apitoyant sur elle-même** en se qualifiant à trois reprises de « Pauvre Ourika » (l. 642, 649 et 924), la jeune héroïne comprend peu à peu que « sa position » de femme noire dans la société aristocratique du XVIIIe siècle est « sans remède » (l. 135), selon l'expression de madame de B. En effet, alors que comme toute jeune femme de la noblesse, Ourika est élevée par cette femme, « qui l'aime comme sa fille » (l. 133), dans le but de faire un beau mariage, sa « couleur » lui interdit toute union avec un jeune homme noble car, depuis la proclamation de l'Édit royal de 1778, **les mariages mixtes sont interdits**.

• Marquée par cette interdiction, l'héroïne noire ne s'autorise même pas, dans un premier temps, à s'avouer son amour pour Charles, le petit-fils de sa « bienfaitrice » et encore moins, plus tard, à l'avouer à celui-ci et à son entourage. Si elle s'oblige à **garder le silence**, Ourika ne parvient cependant pas à réprimer son **sentiment de solitude** : « La pensée qui me poursuivait le plus, c'est que j'étais isolée sur la terre, et que je pouvais mourir sans laisser de regrets dans le cœur de personne » (l. 253-255).

• La **pleine conscience de son isolement** accroît l'intensité de la souffrance d'Ourika qui n'échappe guère à son entourage malgré le silence de l'héroïne. Intériorisée, sa douleur s'exprime sous forme de **lamentations** dans de **nombreux monologues intérieurs qui relèvent du registre pathétique**. « Retirez de la terre la pauvre Ourika ! Personne n'a besoin d'elle : n'est-elle pas seule dans la vie ? » (l. 649-650).

• L'usage d'une **ponctuation expressive**, marquée notamment par des points d'exclamation, caractérise le **discours plaintif** de la jeune fille qui se considère « Seule ! Pour toujours seule ! » (l. 189-190) et se lamente en imaginant le bonheur d'Anaïs, l'épouse de Charles, qui attend son premier enfant, au regard de sa « malheureuse destinée à passer sa triste vie dans l'isolement ! » (l. 766-767).

2 Un isolement social

• La solitude affective d'Ourika prend, comme toujours chez le héros romantique, une dimension sociale. Mais celle-ci est d'autant plus cruelle pour la jeune femme qu'elle résulte d'une **double mise à l'écart**.

• Le **statut particulier** d'Ourika en est la première cause. En effet, la jeune fille ne bénéficie pas du même statut que les autres protagonistes en raison de sa **couleur noire** et en fait l'amer constat : « cette couleur me paraissait comme le signe de ma réprobation » (l. 212-213). Condamnée par sa différence, Ourika se perçoit comme un **monstre, symbole par excellence de l'exclusion sociale** chez les romantiques. La vision monstrueuse qu'elle a d'elle-même lui est insupportable : « ma figure me faisait horreur, je n'osais plus me regarder dans une glace ; lorsque mes yeux se portaient sur mes mains noires, je croyais voir celles d'un singe ». Et d'ajouter à propos de sa peau noire : « c'est elle qui me séparait de tous les êtres de mon espèce » (l. 213-214).

• La deuxième cause de l'isolement d'Ourika est liée à son **environnement aristocratique**. Discriminée par cette classe sociale, Ourika est paradoxalement tributaire du sort réservé aux nobles durant la Révolution. Pourchassée et menacée de mort, la noblesse se voit contrainte à l'isolement pour échapper à la Terreur. Associée à ce milieu de privilégiés, Ourika se voit, elle aussi, dans l'obligation de s'isoler : « Nous restâmes tous quatre dans la même solitude, comme on se retrouve, j'imagine, après une grande calamité à laquelle on a échappé ensemble. » (l. 431-433).

• Victime d'un **double enfermement**, Ourika s'enfonce dans la solitude.

III • Une « enfant du siècle »

L'exclusion sociale du personnage de Claire de Duras revêt une **dimension politique.** À l'image du héros romantique, son mal de vivre et sa solitude témoignent d'un **rapport problématique à l'Histoire.** Ourika est, comme René, le héros du récit de Chateaubriand, Chatterton de Vigny, Hernani de Hugo ou Julien Sorel de Stendhal, une « enfant du siècle », selon l'expression d'Alfred de Musset. Comme eux, elle est déçue par la Révolution et sans perspective d'avenir.

> **Musset et la *Confession d'un enfant d'un siècle* (1836)**
>
> Dans cette œuvre d'inspiration autobiographique, Alfred de Musset consacre plusieurs chapitres au « mal de vivre » romantique, qui engendre chez la génération née avec le siècle, déçue par le contexte historique et social, « un sentiment de malaise inexprimable ».

1 Un témoin déçu de la Révolution française

• Pour Alfred de Musset comme pour Claire de Duras, le mal de vivre du héros romantique s'explique avant tout par les **bouleversements causés par la Révolution française.** Loin de mener aux progrès sociaux attendus, la Révolution n'a laissé aux personnages que **désillusion et amertume** aboutissant, selon le mot d'Ourika, à faire de son temps « une époque funeste » (l. 417).

• La désillusion est d'autant plus grande qu'Ourika observe avec espoir les révolutionnaires qui, portés par leurs idéaux d'égalité, auraient dû lui permettre de ne plus souffrir de sa couleur de peau : « J'entrevis donc que, dans ce grand désordre, je pourrais trouver ma place, que toutes les fortunes renversées, tous les rangs confondus, tous les préjugés évanouis, amèneraient peut-être un état de choses où je serais moins étrangère » (l. 302-306). Mais il n'en a rien été.

• À l'instar de bien des héros romantiques, Ourika finit par **condamner les actes révolutionnaires** comme les journées du 20 juin et du 10 août 1792 (l. 358-359), « lorsque la Révolution cessa d'être une belle théorie et qu'elle toucha aux intérêts intimes de chacun » (l. 322-324). À l'optimisme des Lumières succède le désenchantement romantique.

2 Une femme sans avenir

• « Né[e] trop tard dans un monde trop vieux », pour reprendre l'expression de Musset, Ourika voit disparaître un monde ancien sans que pour autant se dessinent les contours d'un monde nouveau. Ainsi pose-t-elle un **regard sombre sur l'avenir** : « il semblait que, sur cette terre désolée, on ne pût régner que par le mal, tant lui seul donnait et ôtait la puissance. » (l. 419-420).

• Profondément **pessimiste**, après l'épisode de la Terreur, Ourika n'envisage plus d'issue possible pour la « négresse » (l. 139) qu'elle est. **Lucide**, elle reconnaît qu'elle est une femme sans avenir : « Ma position était si fausse dans le monde, que plus la société rentrait dans son ordre naturel, plus je m'en sentais dehors » (l. 524-526). Dès lors, il ne lui reste plus qu'à entrer au couvent. C'est dans les ruines de cet édifice, détruit par la Révolution, que la religieuse achèvera sa vie, elle aussi, détruite.

> **RÉCAPITULATIF**

**Ourika :
une héroïne
romantique**

1 **Ourika** ou
le **« mal de vivre »**
• Une héroïne en mal d'amour
• Une femme mélancolique
• Un personnage frappé
par le « dégoût de vivre »

3 **Une « enfant du siècle »**
• Une héroïne « né[e] trop tard
ou trop tôt » dans le siècle
• Ses espoirs d'émancipation
déçus par la Révolution
• Le pessimisme d'une femme
sans perspective d'avenir

2 **Une héroïne condamnée
à la solitude**
• L'isolement sentimental
d'un amour impossible
• L'isolement social d'une jeune
femme noire au sein de l'aristocrati[e]
• L'isolement politique d'une femm[e]
victime de ses liens avec la nobless[e]

Ourika, fille du siècle des Lumières

Née en 1777, durant le siècle des Lumières, Claire de Duras en a également épousé les idées, inspirée par les combats de son père pour la liberté et la justice. Officier de la marine royale, le comte de Kersaint s'est engagé très tôt auprès des révolutionnaires afin de lutter contre les privilèges des aristocrates. Cependant, pour s'être opposé à l'exécution du roi Louis XVI durant la Terreur, il meurt guillotiné en 1793. Sa fille poursuivra la défense de ses idéaux émancipateurs dans ses écrits, et notamment dans *Ourika*.

Incarné par sa protagoniste, digne fille des Lumières, le combat continue à travers ce récit. En tant que narratrice de sa propre histoire, Ourika y dénonce les préjugés raciaux de la société aristocratique du xviiie siècle et exprime son désir contrarié d'émancipation.

I • Un récit antiraciste

Lorsque Claire de Duras fait paraître *Ourika* en 1823, le contexte politique et culturel semble de nouveau favorable à une abolition de l'esclavage. Supprimé en 1794 avant d'être rétabli par Napoléon en 1802, l'esclavage des Noirs fait, dès 1820, l'objet de vives discussions aussi bien au Parlement qu'à l'Académie française. Fidèle à l'esprit des Lumières, Claire de Duras entend prendre part à ce débat en imposant la **première héroïne noire**.

1 Un récit contre les préjugés raciaux

• «Qui voudra jamais épouser une négresse?» (l. 152): telle est la terrible question posée par la marquise de... qui a le mérite de résumer les enjeux sociaux et politiques d'*Ourika*. Elle reflète les **violents préjugés de l'Ancien Régime** auxquels Ourika est confrontée et que la romancière veut combattre.

• Si, Ourika «rapportée du Sénégal, à l'âge de deux ans» fut «sauv[ée] de l'esclavage» (l. 1, p. 23), elle n'en demeure pas moins **isolée dans la société aristocratique** de madame de B. qui l'a recueillie. En effet, les bonnes intentions de cette «personne la plus aimable de son temps» (l. 7-8, p. 23), désireuse de donner à la fillette «une éducation parfaite» (l. 61-62, p. 26), ne sont que «chimères» aux yeux de la marquise de…. qui discute avec madame de B., son amie, du sort d'Ourika.

• Véritable **porte-parole de la société aristocratique**, la marquise de… considère que pour avoir «brisé l'ordre de la nature» en ambitionnant de la sortir de sa condition d'esclave, «Ourika n'a pas rempli sa destinée : elle s'est placée dans la société sans sa permission ; la société se vengera» (l. 167-168). Ce «crime» (l. 169), reconnu comme tel par madame de B., produit des **effets désastreux sur la jeune fille** qui a désormais honte de sa couleur de peau (l. 52, p. 25 ; l. 500 et 793).

• À travers cet échange vif entre les deux amies, dont Ourika, cachée derrière un paravent, est malencontreusement témoin, Claire de Duras montre que dans l'Ancien Régime, **même privilégié socialement**, un personnage comme Ourika est **victime du racisme** comme tous les autres Noirs.

2 Un être humain comme les autres

• Fidèle aux idéaux progressistes des Lumières, Claire de Duras n'entend pas uniquement montrer la violence des préjugés raciaux mais cherche à **combattre cette discrimination raciale.**

• Pour Claire de Duras, Ourika ne peut pas être considérée comme un être inférieur en raison de sa couleur de peau. À rebours de l'idée selon laquelle les Noirs pâtiraient d'**un manque d'esprit**, Claire de Duras fait de son personnage un **esprit brillant** à l'image de sa «bienfaitrice» : «Elle guidait mon esprit, formait mon jugement : en causant avec elle, en découvrant tous les trésors de son âme, je sentais la mienne s'élever, et c'était l'admiration qui m'ouvrait les voies de l'intelligence.» (l. 66-70, p. 26) . Il s'agit pour l'autrice de démontrer que tout est question d'éducation et non de nature.

• Claire de Duras récuse également le préjugé selon lequel les Noirs pourraient être uniquement réduits à un **corps**, **animé par des instincts bestiaux** autorisant à les exploiter comme des animaux. Ainsi, Ourika se distingue-t-elle par son calme qui la dispose à la réflexion : «Je n'avais rien de la turbulence des enfants ; j'étais pensive avant de penser. » (l. 33-34, p. 25).

II • Un désir contrarié de reconnaissance et d'émancipation

Combattre le racisme et l'exploitation des Noirs consiste aussi pour Claire de Duras à **reconnaître la culture africaine** comme une culture à part entière. Loin d'en faire un objet de mépris, elle s'attache non seulement à dépeindre Ourika comme une personne « assez distinguée pour se placer au-dessus de son sort » (l. 162-163) mais elle met en lumière les **richesses du continent** dont elle est originaire. Toutefois, ce désir de reconnaissance et d'émancipation de l'héroïne se heurte vite à des barrières sociales infranchissables.

1 La reconnaissance de la culture africaine

• À rebours du préjugé selon lequel les Noirs seraient aussi incultes que sauvages, Claire de Duras prend soin de réserver un épisode majeur de son récit à l'éloge de la culture africaine. Si, à l'instar des nouvelles historiques classiques, elle fait de la **scène du bal** le lieu d'une révélation de « l'élégance et la beauté » (l. 83, p. 28) de son héroïne, Duras s'en sert surtout pour mettre en évidence la « grâce » (l. 85) de tout un peuple.

• Ainsi le bal est-il l'occasion de traiter à égalité toutes les cultures puisque « dans un quadrille des quatre parties du monde » (l. 88-89, p. 28) où **Ourika représente l'Afrique**, il s'agira de danser une **danse traditionnelle** sénégalaise : la Comba. Inventée par Claire de Duras, cette danse contredit, par son **raffinement**, l'idée caricaturale des rites tribaux brutaux alors associés aux Noirs. Ainsi, loin de céder à l'improvisation, la reproduction de la Comba a-t-elle nécessité un sérieux travail de documentation témoignant du respect que l'entourage d'Ourika porte au Sénégal : « On consulta les voyageurs, on feuilleta les livres de costumes, on lut des ouvrages savants sur la musique africaine » (l. 90-91, p. 28).

• Cet **intérêt pour la culture de l'Autre** considérée comme un enrichissement constitue un héritage des Lumières.

2 Les limites sociales et culturelles de l'émancipation

• Cependant, cet **éloge de l'altérité** allié au culte du progrès social vient buter sur des événements historiques dont l'héroïne se fait l'écho dans le récit de son histoire. Tout au long du XVIIIe siècle, la lutte anti-esclavagiste a conquis les esprits les plus libres qui allèrent jusqu'à réclamer l'affranchissement pacifique des Noirs des colonies. Mais, alors qu'«on commençait à parler de la liberté des nègres» (l. 345), la révolte de Saint-Domingue de 1791 est venue briser le soutien des révolutionnaires à la cause émancipatrice des Noirs.

• Comme nombre de révolutionnaires, Ourika dénonce l'**effet négatif de ces soulèvements sur la perception des Noirs** dans l'opinion publique, comme sur elle-même : «Les massacres de Saint-Domingue me causèrent une douleur nouvelle et déchirante» avant d'ajouter : «jusqu'ici je m'étais affligée d'appartenir à une race proscrite ; maintenant j'avais honte d'appartenir à une race de barbares et d'assassins.» (l. 352-354).

• Pour la jeune fille, comme pour les fils des Lumières, se pose une question cruciale : comment, au vu de ces événements, prendre la défense des Noirs si leur violence confirme leur image de barbares que les progressistes ont cherché à combattre ?

• Devant de tels doutes, l'avènement d'une société nouvelle, plus juste et plus égalitaire, semble désormais un rêve lointain. La leçon tirée de l'aventure d'Ourika, à la fin du récit, est amère : Ourika entre au couvent où elle finit ses jours car la société des hommes n'a pas réussi à faire des idéaux des Lumières une réalité sociale fondée sur l'équité. L'échec de l'inclusion d'Ourika ouvre la voie au **désenchantement** du romantisme.

1

Un combat antiraciste

• Pour lutter contre les préjugés raciaux d'une société aristocratique discriminatoire
• Pour reconnaître la richesse culturelle de l'Afrique et l'égalité de tous les êtres humains

Ourika, fille du siècle des Lumières

2

Un désir contrarié de reconnaissance et d'émancipation

• Une émancipation qui se heurte aux barrières sociales
• L'échec révolutionnaire de l'inclusion sociale et culturelle

FICHE 4 *Ourika*

en *12 citations*

Voici une sélection de 12 citations clés classées par thèmes. Apprenez-les par cœur : cela vous permettra, lors des épreuves du bac, d'illustrer précisément votre argumentation sur l'œuvre.

● Le « mal de vivre » d'Ourika

« Cet affreux sentiment de l'inutilité de l'existence, est celui qui déchire le plus profondément le cœur ; il me donna un tel dégoût de la vie, que je souhaitai sincèrement mourir de la maladie dont j'étais attaquée. » (p. 62)

« Tout est inutile dans ma vie, madame, même ma douleur. » (p. 67)

● Le sentiment d'isolement d'Ourika

« La pensée qui me poursuivait le plus, c'est que j'étais isolée sur la terre, et que je pouvais mourir sans laisser de regrets dans le cœur de personne. » (p. 39)

« Retirez de la terre la pauvre Ourika ! Personne n'a besoin d'elle ; n'est-elle pas seule dans la vie ? » (p. 59)

« Ma position était si fausse dans le monde, que plus la société rentrait dans son ordre naturel, plus je m'en sentais dehors. » (p. 54)

● Le regard d'Ourika sur elle-même

« Ma figure me faisait horreur, je n'osais plus me regarder dans une glace ; lorsque mes yeux se portaient sur mes mains noires, je croyais voir celles d'un singe ; je m'exagérais ma laideur, et cette couleur me paraissait comme le signe de ma réprobation. » (p. 37)

Je me vis négresse, dépendante, méprisée, sans fortune, sans appui, sans un être de mon espèce à qui unir mon sort. » (p. 30)

● Le rejet de l'aristocratie

Ourika n'a pas rempli sa destinée : elle s'est placée dans la société sans sa permission ; la société se vengera. » (p. 31)

● Illusions et désillusions de la Révolution française

J'entrevis donc que, dans ce grand désordre, je pourrais trouver ma place ; que toutes les fortunes renversées, tous les rangs confondus, tous les préjugés évanouis, amèneraient peut-être un état de choses où je serais moins étrangère. » (p. 41)

Lorsque la Révolution cessa d'être une belle théorie et qu'elle toucha aux intérêts intimes de chacun, les conversations dégénérèrent en disputes. » (p. 42)

● Les maximes moralistes

Il y a des illusions qui sont comme la lumière du jour ; quand on les perd, tout disparaît avec elles. » (p. 32)

Le bon goût est à l'esprit ce qu'une oreille juste est aux sons. » (p. 25)

Le modèle noir en peinture, du XVIIIᵉ au XXᵉ siècle

Si, depuis le milieu du XVIIIᵉ siècle, la littérature française met en avant des héros et héroïnes noirs, ce n'est véritablement qu'au XIXᵉ siècle que l'art pictural français fait du modèle noir un **sujet de représentation à part entière**. Dans le sillage de la Révolution de 1789 et son combat pour l'égalité entre tous les hommes, la représentation des hommes et des femmes noirs par les peintres a en effet évolué au fil des siècles traversés par trois grands courants artistiques et culturels.

La **période romantique** (1770-1870) se caractérise au début du XIXᵉ siècle par la volonté des artistes de ne plus représenter le personnage noir uniquement comme un esclave ou un simple figurant à l'arrière-plan de la toile. Certains font désormais de leur art un **outil politique** dont ils se servent pour affirmer la **reconnaissance civique des Noirs**. Telle est la vocation du portrait de Jean-Baptiste Belley, premier député noir de l'histoire de France, réalisé par Anne-Louis Girodet (● IMAGE 1). Tout aussi politique est le désir qui prévaut chez certains peintres de la période romantique de **consacrer l'humanité de l'homme noir**. Telle est la fonction qu'assigne à son tableau, *Étude d'homme, d'après le modèle Joseph*, Théodore Géricault (● IMAGE 2) qui s'attache, dans ses toiles, à représenter des personnages noirs empreints d'une grande force morale.

Au cours de la **période impressionniste** (seconde moitié du XIXᵉ siècle), les artistes s'interrogent aussi sur le statut du modèle noir. À travers son portrait de la *Jeune Femme aux pivoines*, Frédéric Bazille (● IMAGE 3) questionne le **statut social de la femme noire**. Loin des clichés qui l'ont longtemps représentée comme un objet de désir, le peintre n'hésite pas à montrer la dureté de sa vie de servante, asservie à des tâches subalternes, malgré l'abolition de l'esclavage en 1848.

Poussé par le **courant de la modernité**, le **modèle noir** s'impose enfin au xxᵉ siècle comme **l'une des principales sources d'inspiration artistique**. Ainsi, les artistes s'ouvrent aux influences de cultures autres pour nourrir leur réflexion picturale, tel Henri Matisse dont le tableau *Dame à la robe blanche* (● IMAGE 4) s'inspire de la culture afro-américaine.

1 *Jean-Baptiste Belley, député de Saint-Dominique à la Convention* (1797)

- **Auteur** : Anne-Louis Girodet (1767-1824), peintre français
- **Technique** : huile sur toile
- **Dimensions** : 159 x 112 cm
- **Genre** : portrait

◉ L'œuvre est reproduite en couleurs sur les rabats de couverture.

Le premier portrait d'un homme noir

• Comme Claire de Duras, le peintre Anne-Louis Girodet a vécu à la charnière de deux courants artistiques dont son œuvre va durablement s'inspirer. Ses tableaux sont influencés par le néo-classicisme, comme en témoigne l'exécution parfaite de cette toile, mais ils traitent aussi de sujets originaux en prise avec l'actualité, comme l'y incite l'esthétique romantique.
• Refusé au Salon de 1797, son portrait du citoyen Belley provoque un scandale retentissant. Car, pour la première fois de l'histoire des arts, un homme noir a droit aux honneurs d'une peinture académique dont il est l'unique sujet représenté. Jean-Baptiste Belley (1747-1805) n'y pose pas comme domestique ou simple figurant. Premier député noir de l'histoire de France, il est symboliquement accoudé au buste de l'Abbé Raynal (1713-1796), penseur anticolonialiste.

◉ **Lire l'image**

1/ Décrivez les différentes composantes de la peinture.
2/ Quelle pose prend le citoyen Belley ? Comment est-il vêtu ?
3/ Décrivez l'expression du visage du citoyen Belley.

2 *Étude d'homme, d'après le modèle Joseph* (1818-1819)

- **Auteur** : Théodore Géricault (1791-1824), peintre français
- **Technique** : huile sur toile
- **Dimensions** : 47 x 38,7
- **Genre** : portrait

(O) L'œuvre est reproduite en couleurs sur les rabats de couverture.

Un portrait d'homme, selon l'esthétique romantique

• Artiste romantique par excellence, Théodore Géricault est l'un des premiers peintres français à avoir imposé des personnages noirs dans ses tableaux. Convaincu par le combat abolitionniste et marqué par la révolte de Saint-Domingue, le peintre observe les canons de l'esthétique romantique en représentant l'homme noir dans sa profonde humanité, incarné par l'un de ses modèles favoris : Joseph.

• Héros de son plus célèbre tableau, *Le Radeau de la Méduse*, Joseph s'impose comme le sujet central de cette *Étude d'homme*. L'artiste choisit de peindre Joseph seul afin de concentrer sur le visage de cet homme noir l'expression de sa dignité et la force de sa détermination.

(O) Lire l'image

1/ Décrivez les différentes composantes de l'image.
2/ Qu'éprouvez-vous en observant le regard du personnage ?
3/ Comment le peintre met-il en lumière son humanité ?

3 — *Jeune femme aux pivoines* (1870)

- **Auteur** : Frédéric Bazille (1841-1870), peintre français
- **Technique** : huile sur toile
- **Dimensions** : 60 x 75 cm
- **Genre** : portrait

(O) L'œuvre est reproduite en couleurs sur les rabats de couverture.

Une dénonciation picturale de l'exploitation sociale

• Venu à Paris pour ses études de médecine, le jeune Frédéric Bazille décide, après avoir fait la rencontre d'Auguste Renoir et d'Édouard Manet, de consacrer sa vie à la peinture. Proche des impressionnistes dont il admire la vision du monde, Bazille est l'un des premiers peintres à représenter un personnage noir féminin dans un contexte social.

• À rebours de la peinture orientaliste qui réduit la femme noire à un corps érotisé, Bazille s'attache à dénoncer sa condition sociale à travers deux tableaux représentant une femme aux pivoines. Ce tableau de la *Jeune Femme aux pivoines*, qui montre une femme noire occupée à composer un bouquet de fleurs, interroge de façon symbolique la place des Noires dans la société. Bazille souligne leur servitude en usant d'une technique picturale qui consiste à traiter la femme noire comme un objet au milieu d'une nature morte de fleurs.

(O) Lire l'image

1/ Décrivez les différentes composantes du tableau.
2/ Quelle place occupent les fleurs sur la toile ?
3/ Quelle est l'expression du visage de la jeune femme ?
Quel sens apporte-t-elle au tableau ?

4 *Dame à la robe blanche* (1946)

- **Auteur** : Henri Matisse (1869-1954), peintre français
- **Technique** : huile sur toile
- **Dimensions** : 96,5 x 60,3 cm
- **Genre** : portrait

L'œuvre est reproduite en couleurs sur les rabats de couverture.

Le portrait fauviste d'une icône noire

• Maître du fauvisme au début du XXe siècle, le peintre Henri Matisse est régulièrement invité à l'étranger pour présenter son œuvre. En 1930, alors qu'il se rend à Tahiti, Matisse fait escale à New York où il découvre, subjugué, le quartier d'Harlem et la culture afro-américaine à travers des artistes noirs comme Louis Armstrong et Billie Holiday dont il admire la liberté créatrice.

• Toutefois, il faudra attendre la fin de la Seconde Guerre mondiale pour que cette inspiration nouvelle transparaisse dans ses tableaux. Matisse choisit alors de travailler avec des modèles noirs comme Elvire Van Hyfte, une femme belgo-congolaise qu'il immortalise dans cette *Dame à la robe blanche* en hommage à sa beauté.

Lire l'image

1/ Décrivez les différentes composantes du tableau.
2/ Comment Matisse valorise-t-il la place de la femme ?
3/ Quel usage Matisse fait-il ici des motifs géométriques ? Observez en particulier la manière dont les bras de la femme sont représentés.

L'épreuve *écrite*

Sujet de **dissertation**

Ourika de Claire de Duras porte des idéaux d'égalité et de justice sociale, mais peut-on uniquement le considérer comme un récit hérité du mouvement des Lumières ?

Vous répondrez à cette question en un développement structuré. Votre réflexion prendra appui sur *Ourika*, sur les textes et documents du parcours associé « Héros et héroïnes noirs dans la littérature française », ainsi que sur votre culture personnelle.

> ### pour vous aider

Pour la méthode générale de la dissertation, reportez-vous à la fiche page 145.

1 Analyser le sujet

Le contexte historique et la vie de Claire de Duras font d'*Ourika* une œuvre nourrie des idéaux des Lumières. Inspirée par l'exemple de son père, un homme des Lumières engagé dans les luttes de son temps, l'autrice est acquise à l'abolition de l'esclavage et défend l'égalité en droit pour chaque individu. Son récit *Ourika* témoigne de cette prise de conscience sociale et politique en mettant en avant pour la première fois le destin d'une jeune fille noire considérée comme une héroïne à part entière.

Cependant, outre cet héritage des Lumières, ce récit révèle d'autres inspirations : il se situe ainsi également à la croisée du romantisme – dont Claire de Duras est l'exacte contemporaine – et du classicisme dont l'autrice a toujours admiré la rigueur du style et l'excellence morale.

2 Formuler la problématique

En quoi *Ourika*, s'il rend hommage aux idéaux des Lumières, se situe avant tout à un carrefour d'influences, où romantisme et classicisme ont également leur part ?

3 Organiser ses idées et définir le plan

> #### 1. Un récit des Lumières ?

Mettez en avant dans *Ourika* ces trois aspects majeurs, qui permettent de faire le lien avec les idéaux des Lumières :

• le cadre spatio-temporel : le récit a lieu durant la Révolution, ce qui donne à Ourika l'espoir de pouvoir être l'égale des autres femmes ;
• la défense de l'égalité entre les hommes, quelle que soit leur couleur de peau : à travers le destin d'Ourika, le récit dénonce les préjugés raciaux de la société de l'époque, comme source d'une profonde injustice ;
• la prééminence de la parole des femmes : peu d'hommes s'expriment dans le récit, seules les femmes parlent et décident ; le roman plaide ainsi en creux en faveur de plus d'égalité entre les deux sexes.

> 2. L'influence romantique

Ce deuxième moment de la réflexion invite à nuancer l'éloge de la Révolution française née du mouvement des Lumières et à mettre en évidence, dans le récit, des motifs issus du romantisme :
• soulignez combien la Terreur est présentée négativement par l'héroïne ;
• évoquez la description initiale du couvent en ruines : elle renvoie à un imaginaire romantique de la désillusion ;
• démontrez qu'Ourika, exclue de son milieu social du fait de sa couleur de peau, est une héroïne romantique rongée par la mélancolie du « mal du siècle ».

> 3. Une leçon morale classique ?

Si la désillusion et la mélancolie sont des tourments romantiques, Ourika propose finalement une leçon morale sur la violence de la passion :
• montrez qu'Ourika est la victime d'une passion sans retour ;
• appuyez-vous sur les maximes morales qui jalonnent la narration pour souligner la portée morale du texte.

④ Rédiger l'introduction

[Accroche] *Ourika* est un récit nourri des idéaux des Lumières. [Explication du sujet] Cependant, son autrice, Claire de Duras, vit à une époque charnière et son texte semble également marqué par le mouvement romantique contemporain et redevable au classicisme. **[Problématique]** En quoi le récit se situe-t-il à la croisée des Lumières, du romantisme et du classicisme ? **[Annonce du plan]** Il s'agira dans un premier temps d'examiner en quoi l'esprit des Lumières imprègne *Ourika* pour considérer ensuite comment ce récit, qui se déroule durant la Révolution, exprime un désenchantement romantique par rapport à cet événement. Finalement nous analyserons comment, au-delà du romantisme, la nouvelle livre une leçon morale héritée du classicisme.

5 Rédiger la conclusion

[Synthèse] Ainsi, *Ourika* est une nouvelle qui se situe à un carrefour historique et littéraire : l'héroïne, témoin du soulèvement révolutionnaire et des espoirs d'égalité et de justice qu'il suscite, est finalement condamnée, par son entourage, à vivre seule et s'enfonce dans une mélancolie profondément romantique. Néanmoins la leçon morale du récit, qui prône la maîtrise des sentiments, évoque l'idéal classique. **[Ouverture]** Si *Ourika* exprime un pessimisme romantique, tous les écrivains du mouvement romantique n'auront pas ce même regard désabusé. Victor Hugo dans *Bug-Jargal* saura ainsi faire du héros noir un homme défendant avec énergie un idéal d'égalité entre les hommes.

RÉUSSIR
la **dissertation**

Le jour du bac, vous avez le choix entre trois sujets de dissertation sur un même objet d'étude, selon l'œuvre et le parcours que vous avez étudiés en classe. Vous devez montrer que vous en avez compris les principaux enjeux.

1 • <u>Analyser le sujet</u>

• Le sujet se présente en général sous la forme d'une question ou sous la forme d'une citation suivie d'une question. Une phrase de consigne délimite ensuite le champ de votre réflexion (l'œuvre seule ou l'ensemble des textes pouvant s'inscrire dans le parcours concerné).

• Lisez attentivement l'ensemble de l'énoncé. Identifiez les **mots clés** et définissez-les si nécessaire.

2 • <u>Formuler la problématique, trouver des idées</u>

• Reformulez alors la citation et/ou la question pour mettre en évidence le **problème posé**.

• Notez en vrac toutes les **idées** qui vous viennent à l'esprit, **en lien avec ce problème** : à ce stade, il n'y a pas de mauvaise idée.

• Listez au brouillon les **œuvres** et les **textes** que vous avez lus dans le cadre du parcours concerné : ils pourront vous fournir de précieux exemples. Quel éclairage apportent-ils sur le sujet ?

3 • <u>Organiser ses idées</u>

• Reprenez vos notes et organisez vos idées : pour chaque partie, vous devez avoir au moins deux **arguments**, illustrés par un ou plusieurs **exemples** chacun. Chaque argument correspond à une sous-partie.

• Mettez **vos connaissances au service de votre argumentation** : il ne s'agit pas de « recaser » des citations ou des éléments d'analyse appris par cœur, mais de sélectionner les exemples les plus pertinents et de montrer comment ils illustrent votre idée.

Quel type de plan ?

La formulation du sujet peut vous indiquer le type de plan à privilégier.

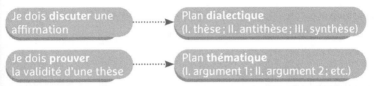

Je dois **discuter** une affirmation ·········► Plan **dialectique** (I. thèse ; II. antithèse ; III. synthèse)

Je dois **prouver** la validité d'une thèse ·········► Plan **thématique** (I. argument 1 ; II. argument 2 ; etc.)

• Dans le cas d'un plan dialectique, vous devez d'abord expliciter l'affirmation (I), puis formuler des réserves (II), avant de la reformuler pour dépasser l'opposition entre I et II (III). Notez bien que l'antithèse ne consiste pas à dire le contraire de ce qui a été dit dans la thèse, mais à en évoquer les limites ou les lacunes.

• Dans le cas d'un plan thématique, présentez successivement différents arguments en faveur de la thèse proposée.

4 • **Rédiger la dissertation**

• Rédigez d'abord votre **introduction** au brouillon. Elle doit comporter :
– une phrase d'amorce ;
– la citation qui sert de support au sujet (le cas échéant) ;
– une reformulation de la problématique ;
– l'annonce de votre plan.

• Rédigez ensuite votre développement en suivant le **plan établi au brouillon** (une sous-partie = un paragraphe).

• Rédigez enfin une **conclusion** qui synthétise votre point de vue et répond au problème posé par le sujet. Vous pouvez terminer en élargissant le débat (autre époque, autres arts...).

> **Conseil** Ménagez des transitions entre vos grandes parties et utilisez des connecteurs logiques pour aider le correcteur à comprendre la logique de votre argumentation.

• Relisez attentivement l'ensemble de votre devoir : que vous soyez à l'aise ou non en orthographe, on fait souvent des fautes lorsque l'on est pris dans le fil d'une réflexion. L'important est de réussir à les corriger !

Sujet de **commentaire**

Jean-François de Saint-Lambert (1716-1803), *Ziméo* **(1769)**

> pages 83-84, texte 2

Commentez le texte.

Vous devrez composer un devoir qui présente de manière organisée ce que vous avez retenu de votre lecture et justifierez, par des analyses précises, votre interprétation et vos jugements personnels.

pour vous aider

Pour la méthode générale du commentaire, reportez-vous à la fiche page 149.

1 Analyser le texte

> **Établir sa carte d'identité**

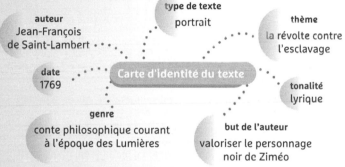

auteur
Jean-François
de Saint-Lambert

type de texte
portrait

thème
la révolte contre
l'esclavage

date
1769

Carte d'identité du texte

tonalité
lyrique

genre
conte philosophique courant
à l'époque des Lumières

but de l'auteur
valoriser le personnage
noir de Ziméo

> **Situer le texte dans son contexte et ses enjeux**

Jean-François de Saint-Lambert, penseur des Lumières, narre, dans ce conte philosophique, l'histoire de Ziméo, jeune Noir à la tête de la révolte des esclaves de la Jamaïque. À travers le portrait de cet homme fougueux, l'auteur cherche à faire de l'homme noir un héros à part entière.

2 Formuler la problématique

Comment ce portrait du personnage noir l'élève à la dignité d'un héros, en le dotant aussi bien de qualités morales que physiques ?

③ Organiser ses idées et définir le plan

> 1. Le portrait d'un chef de guerre

• Le texte consiste essentiellement en un portrait de Ziméo. Mettez en évidence, tout d'abord, les qualités physiques du personnage. Sa force fait de lui un héros au sens épique du terme.

• Cette description physique est valorisante : Jean-François de Saint-Lambert prend soin de le caractériser suivant les canons classiques de la beauté grecque.

• Cette force physique s'accompagne d'une droiture morale, fortement valorisée dans le portrait.

• Ces qualités font de lui un chef respecté de ses troupes, lui conférant une stature politique et sociale.

> 2. La peinture de l'esclavage

• À ce portrait du chef répond une description de l'esclavage tel qu'il est pratiqué à la Jamaïque.

• Dans un souci d'équilibre, Saint-Lambert choisit de ne pas faire du maître un monstre mais souligne au contraire son humanité, comme en témoigne le discours que les esclaves tiennent sur lui.

• Dans le débat de l'époque sur l'abolition de l'esclavage, Saint-Lambert prend position : il s'affirme en faveur du réformisme, et non pour l'abolitionnisme (voir p. 82-83).

> 3. Le portrait d'un homme

• Parallèlement au portrait du maître, la présentation de Ziméo exprime également une vision politique réformiste.

• Saint-Lambert veut montrer que, derrière l'apparente férocité du combattant, l'homme noir fait preuve de bonté et d'humanité.

• Le but de Saint-Lambert n'est pas uniquement d'humaniser l'homme noir mais de l'anoblir.

RÉUSSIR
le **commentaire de texte**

Le commentaire consiste à proposer une interprétation d'un texte littéraire de manière argumentée. Le texte proposé au bac relève de l'un des objets d'étude abordés pendant l'année, mais n'est pas extrait d'une œuvre au programme.

FICHES

PROLONGEMENTS

SUJETS DE BAC

LECTURE CURSIVE

1 • <u>Analyser le texte</u>

• Lisez une première fois le texte, sans oublier le paratexte et les notes : cela vous permet d'établir sa « **carte d'identité** ».

auteur ..... thème

date et courant littéraire ..... Carte d'identité du texte ..... tonalité(s)

genre but(s) de l'auteur

• À l'aide du paratexte et de la connaissance que vous pouvez avoir de l'œuvre, **situez le texte** le plus précisément possible.

2 • <u>Dégager la problématique</u>

• Notez vos **impressions de lecture** : qu'avez-vous compris ? quel effet le texte produit-il sur vous ?

• Relisez plusieurs fois le texte en l'annotant : identifiez sa **structure** et repérez les **procédés littéraires** qui vous semblent signifiants. Notez toutes vos remarques au brouillon.

• Essayez de résumer la **spécificité du texte** en une phrase : qu'est-ce qui le rend intéressant, selon vous ? Cela vous permet de formuler votre problématique, de préférence sous forme de question : « Comment… ? », « En quoi… ? ».

3 • __Organiser ses idées__

• Identifiez ensuite **deux ou trois pistes de réponse** (ou axes de lecture) qui structureront votre analyse. Attention, un procédé littéraire ne constitue pas un axe de lecture !

Dans les séries technologiques, le sujet comporte un parcours de lecture, qui vous donne les deux grandes parties de votre commentaire.

• Classez les éléments relevés de manière à constituer des parties et des sous-parties équilibrées. Votre plan doit aller **du plus simple au plus complexe**.

• Chaque sous-partie doit comporter :

4 • __Rédiger le commentaire__

• Rédigez d'abord votre **introduction** au brouillon. Elle doit comporter :
– une phrase d'amorce ;
– une courte présentation du texte, qui le définit et le situe ;
– votre problématique ;
– l'annonce de votre plan.

• Rédigez ensuite votre développement en suivant le plan établi au brouillon. Retenez que : **un paragraphe = une sous-partie**.

• Ménagez des transitions entre vos grandes parties.

• Rédigez enfin une **conclusion** qui synthétise votre démonstration et répond à la problématique. Vous pouvez terminer en ouvrant sur d'autres textes partageant les mêmes enjeux, mais évitez les ouvertures artificielles.

> **Conseil** Consacrez environ 1 heure 30 à la rédaction au propre. Gardez au moins 10 minutes pour vous relire : la qualité de la langue fait partie des critères d'évaluation !

Cahier
Lecture cursive

LIRE UNE ŒUVRE
tenir un carnet de **lecture cursive**

Au cours de la seconde partie de l'épreuve orale du bac de français, vous devez présenter une œuvre que vous aurez lue en lecture cursive, en lien avec les œuvres du programme étudiées en classe. Cette lecture menée de manière autonome ne s'improvise pas.

Pour vous approprier l'œuvre, devenir acteur de votre lecture et préparer sa restitution orale, vous avez ainsi intérêt à tenir un carnet de lecture.

1 • <u>Qu'est-ce qu'un carnet de lecture cursive ?</u>

• Un carnet de lecture cursive peut être défini comme votre **journal intime de lecteur**. Vous le remplissez régulièrement, au fur et à mesure de votre lecture.

• Il peut prendre différentes formes : papier (cahier ou carnet) ou numérique. Dans le cas d'une forme papier, n'hésitez pas à en décorer la couverture ou à y glisser des images correspondant à l'univers du livre.

2 • <u>Qu'écrit-on dans ce carnet ?</u>

Vous devez organiser votre carnet en vous appuyant sur la structure de l'œuvre et votre avancement dans sa lecture.

• À chaque fois que vous remplissez votre carnet, indiquez, pour commencer, **la date du jour et le passage lu** (chapitres, scènes, poèmes...).

• Vous pouvez ensuite consigner brièvement **quelques éléments descriptifs** : que se passe-t-il ? quels personnages interviennent ? quel est le thème traité ? Ces éléments vous éviteront de relire toute l'œuvre quand vous devrez en préparer la présentation synthétique pour l'oral.

• Cependant ce carnet doit surtout recueillir vos **impressions de lecture** :
– Quelles impressions et quelles réflexions ce passage suscite-t-il en moi ?
– À quelle autre œuvre (littéraire, cinématographique, etc.) me fait-il penser ?
– Quel lien me permet-il d'établir avec l'œuvre étudiée en classe ?

Ce sont ces impressions de lecture, enrichies au fil de votre lecture, qui vous permettront de faire une présentation personnelle de l'œuvre et de mettre en évidence les raisons de votre choix.

• **Quand un passage vous plaît** signalez-le avec un code (***). Recopiez en couleur une ou deux phrases qui vous semblent particulièrement frappantes (sans oublier les guillemets pour bien les repérer).

3 • Comment faire ?

2. Parler en son nom, se sentir libre
• Notez en toute liberté vos émotions de lecteur.
• Exprimez les sentiments positifs comme les impressions négatives.

1. Écrire régulièrement
• Déterminez un rythme de lecture et d'écriture et tenez-y vous.
• Plus vous serez régulier, plus il vous sera facile d'écrire.

3 conseils clés

3. Conserver une expression correcte
• Il faut que vous puissiez réexploiter vos notes lors de votre préparation finale.
• Dire ce que l'on pense ne signifie pas être familier.

Des exemples

EXEMPLE 1 : Racine, (1677), Acte V
La mort du personnage d'Hippolyte racontée par Théramène à l'Acte V, scène 1, m'a fortement impressionné. Le récit de Théramène ressemble à un vrai film d'horreur. Je ne m'attendais pas du tout à ce retournement de situation : je pensais que Thésée aurait finalement le temps de pardonner à son fils.

EXEMPLE 2 : Diderot, *Jacques le Fataliste et son maître* (1780), incipit
J'ai été dérouté par la première page du roman. D'habitude, l'auteur nous donne les renseignements nécessaires pour installer son histoire ; ici, il n'y a qu'une série de questions sans aucune réponse. L'auteur s'adresse directement à nous, de manière presque agressive. C'est déstabilisant mais cela donne envie de connaître la suite.

RÉUSSIR LA PRÉSENTATION
de la **lecture cursive**

Pour bien présenter l'œuvre que vous aurez sélectionnée pour l'oral,
vous devez l'avoir lue de manière active (voir la fiche précédente,
p. 152-153). Il vous faut également prendre le temps – en amont du jour
de l'oral – de récapituler les éléments clés de la présentation,
selon les règles de l'épreuve, et d'anticiper l'entretien.

1 • <u>Construire sa présentation</u>

Quoique brève (environ 3 min.), cette présentation doit néanmoins comprendre trois étapes.

Étapes	Comment faire ?
1. Présenter l'auteur/ l'autrice et le contexte de publication	• Il s'agit d'introduire l'exposé à l'aide d'éléments contextuels significatifs. • N'oubliez pas de citer la date de parution de l'œuvre !
2. Exposer les caractéristiques clés de l'œuvre	Vous devez démontrer votre connaissance de l'œuvre en restant synthétique. • Dans le cas d'un roman ou d'une pièce de théâtre, résumez l'action, présentez les personnages clés. • Dans le cas d'un recueil de poésies, donnez des précisions sur la composition du recueil, le genre des poèmes. • Pour une œuvre de littérature d'idées, signalez la visée et les idées essentielles.
3. Défendre votre choix	Essayez de dégager les deux ou trois raisons pour lesquelles vous jugez cette œuvre intéressante : en elle-même et par rapport à l'œuvre au programme.

2 • Répondre aux questions de l'examinateur

Suit l'entretien qui constitue l'essentiel de l'épreuve (environ 5 min.). Prenant appui sur votre présentation, l'examinateur va vous interroger pour évaluer votre capacité à en préciser certains points et à étoffer votre réflexion.

Relance possible par l'examinateur	Comment y répondre ?
Quel lien pouvez-vous faire avec l'œuvre du programme étudiée en classe ?	Vous devez expliquer : • pourquoi il est possible de rapprocher la lecture cursive de l'œuvre au programme et/ou • pourquoi cette lecture cursive a sa place dans le parcours associé à l'œuvre au programme.
Un passage vous a-t-il particulièrement marqué(e) ? Pour quelle raison ?	Vous devez pouvoir vous référer à un passage précis, et le lire de manière espressive afin de montrer votre goût pour l'œuvre. Accompagnez la lecture du passage d'un commentaire qui justifie votre choix. La lecture ne suffit pas !
Pouvez-vous définir ce terme « ... » que vous avez utilisé ?	Lors de votre préparation, vous devez anticiper ces questions sur des termes d'histoire ou d'analyse littéraire. Apprenez leurs définitions.

Présenter *Ourika*

Présentez brièvement *Ourika* (1823) de Claire de Duras, l'œuvre que vous avez retenue et exposez les raisons de ce choix.
Cette présentation (3 min.) sera suivie d'un entretien (5 min).

> *Pour la méthode générale, reportez-vous à la fiche de méthode pages 154-155.*

1. PRÉSENTATION. Présenter l'autrice et le contexte de publication

pour vous aider

L'autrice

• Aidez-vous de la biographie de l'autrice, résumée page 6, pour présenter l'autrice en une ou deux phrases.
• Pensez à évoquer le traumatisme qu'a constitué pour elle la mort de son père, guillotiné sous la Révolution.

Le contexte de publication

• Appuyez-vous sur les fiches des pages 8 à 11, dans l'avant-texte.
• Insistez sur le triple héritage de Claire de Duras, marquée par l'esprit des Lumières et le courant abolitionniste, le classicisme et le romantisme.

2. PRÉSENTATION. Exposer les caractéristiques clés de l'œuvre

pour vous aider

• Commencez par expliquer que l'autrice s'est inspirée d'un fait réel (→ p. 7).
• Vous pouvez organiser votre propos autour de ces **trois points clés** :
1. Un destin tragique (→ fiche 1, p. 118-124).
Ce point vous permet de récapituler l'histoire.
2. Une héroïne romantique (→ fiche 2, p. 125-130).
Faites un bref portrait de l'héroïne, en insistant sur son caractère passionné et sa droiture.
3. Un récit qui dénonce les préjugés raciaux (→ fiche 3, p. 131-134)
Explicitez les idées et valeurs défendues par l'autrice à travers ce récit.

3. PRÉSENTATION. Défendre votre choix

pour vous aider

• Mettez en avant **deux ou trois raisons** qui vous ont fait apprécier *Ourika* (→ p. 12). Vous devez faire partager votre expérience de lecture lors de cette étape : n'hésitez pas à vous impliquer personnellement.
• Par exemple :
   1. Une héroïne particulièrement touchante
   2. Un récit original : au carrefour du classicisme, des Lumières et du romantisme
   3. Un combat antiraciste, qui me semble toujours d'actualité

4. PRÉSENTATION/ENTRETIEN. Justifier le lien avec l'œuvre du programme étudiée

pour vous aider

Pour justifier votre choix, vous pouvez également évoquer son lien avec l'œuvre du programme étudiée ou le thème du parcours : soit à la fin de votre présentation, soit en réponse à une demande de l'examinateur lors de l'entretien.
Voici deux exemples pour comprendre comment on peut répondre à cette demande de manière argumentée.

1 **Quels sont les points communs entre *Ourika* et *Manon Lescaut* ?**

> 1. Deux récits de la passion amoureuse
À l'instar de *Manon Lescaut*, grand roman de l'amour fou, *Ourika* s'impose comme le récit d'une passion dévorante. Mais, dans les deux cas, l'amour se révélera malheureux.

> 2. Deux héroïnes plongées dans un nouveau milieu social
Fille du peuple fascinée par le luxe, Manon Lescaut découvre, au contact du chevalier des Grieux, le milieu privilégié de la noblesse d'alors. Destinée à être esclave, Ourika est élevée dans un milieu aristocrate. Cependant, à la différence de Manon, Ourika ne manifeste aucune cupidité : elle exprime un désir d'égalité sociale.

> 3. Une même écriture de moraliste
Avec *Ourika*, Claire de Duras rend hommage à l'écriture des moralistes français du XVIIe siècle. Au début du XVIIIe siècle, l'abbé Prévost s'impose également comme l'un de leurs héritiers directs. Les deux écrivains manifestent un semblable souci de l'observation de la nature humaine.

② Quels sont les points communs entre *Ourika* et la *Déclaration des droits de la femme et de la citoyenne* ?

> 1. Deux femmes politiquement engagées

Olympe de Gouges est demeurée célèbre pour ses écrits révolutionnaires en faveur des Noirs et des femmes. Claire de Duras, fille de révolutionnaire, manifeste dans *Ourika* un même engagement politique par l'écriture : Ourika est la première héroïne noire de la littérature française.

> 2. Deux plaidoyers féministes

Dans la *Déclaration*, Olympe de Gouges réclame, pour le genre féminin, une égalité civique et politique. *Ourika* est également un plaidoyer pour la reconnaissance des femmes dans la société, quelle que soit leur couleur de peau : l'héroïne, comme toutes les femmes, doit pouvoir disposer d'elle-même comme elle l'entend.

> 3. Deux autrices humanistes

Les deux autrices combattent pour la reconnaissance du droit naturel, contre une réalité sociale discriminatoire. L'une et l'autre ont une foi absolue dans la raison humaine et dans le progrès.

5. ENTRETIEN. Lire un passage qui vous a marqué(e)

pour vous aider

C'est une demande fréquente au cours de l'entretien. Pour vous y préparer, relisez – avant le jour J – les passages sélectionnés dans votre carnet de lecture (→ p. 152-153) ou les extraits associés à la rubrique « Clés pour la lecture linéaire ». Entraînez-vous à en faire une lecture expressive à voix haute.

6. ENTRETIEN. Répondre à des demandes d'éclaircissements, de définitions

pour vous aider

Prenant appui sur votre présentation, l'examinateur peut vous demander d'éclaircir ou de préciser un point évoqué.
Vous devez notamment pouvoir définir les notions littéraires auxquelles vous avez fait appel : par exemple, ici, les trois termes clés « classicisme », « Lumières », « romantisme ».

Table des illustrations

Dans l'ouvrage

- Page 2, page 13 et autres pages d'ouverture, Simon Maris, *Isabella* (vers 1906). Huile sur toile, 41 x 29 cm. A. van Wezel Bequest. Coll. Rijksmuseum, Amsterdam

- Page 6, portrait de Claire de Duras, aquarelle de Hesse (fin XVIIIᵉ-début XIXᵉ siècle). ph © Roger-Viollet

- Page 7, Page de titre de la troisième édition d'*Ourika* (1826), Bibliothèque nationale de France, Paris. ph © BnF, Paris

- Page 9, Estampe représentant l'abolition de l'esclavage en 1794, auteur inconnu. Bibliothèque nationale de France, Paris. ph © BnF, Paris

- Page 10, Détail de *La Réunion des Encyclopédistes à la maison de Diderot* (1859), Heritage Image Partnership Ltd /Alamy Banque d'Images

- Page 14, Détail d'un vase en porcelaine de Sèvres, avec une scène du roman *Ourika* (vers 1823), château d'Ussé. ph © Collection Dagli Orti/Château d'Ussé/ Gianni Dagli Orti/Aurimages

- Page 27, Portrait d'Ourika, du Maréchal de Beauvau et de la Maréchale de Beauvau (fin du XVIIIᵉ siècle). ph © BnF, Paris

- Page 36, Photogramme du film *Les Caprices d'un fleuve*, film de (et avec) Bernard Giraudeau (1996). © Flach Film

- Page 75, *Portrait de Louise Marie Thérèse* (sœur Louise Marie de Sainte-Thérèse), dite la « Mauresse du Moret » (fin du XVIIᵉ siècle). Huile sur toile. Bibliothèque Sainte-Geneviève, Paris. ph © Archives Charmet/Bridgeman Images

- Pages 114-115, Couvertures des œuvres suivantes : Aphra Behn, *Oronoko* (1688). © Flammarion ; Prosper Mérimée, *Tamango* (1829). © Éditions la Bibliothèque digitale ; George Sand, *Indiana* (1832). © Gallimard ; Aminata Sow Fall, *La Grève des Battù* (1979). © Éditions du Rocher/Groupe Elidia

Sur les rabats

- David Martin, *Portrait de Dido Elizabeth Belle Lindsay et Lady Elizabeth Murray* (vers 1778). Huile sur toile, Scone Palace, Perth Ecosse. Courtesy of the Earl of Mansfield, Scone Palace, Perth

- Anne-Louis Girodet, *Jean-Baptiste Belley, député de Saint-Dominique à la Convention* (1797). Huile sur toile, 159 x 112 cm. Châteaux de Versailles et de Trianon, Versailles. ph © Photo Josse/Bridgeman Images

- Théodore Géricault, *Étude d'homme, d'après le modèle Joseph* (vers 1818-1819). Huile sur toile, 47 x 38,7 cm. The J. Paul Getty Museum Los Angeles, États-Unis. Digital image courtesy of Getty's Open Content Program

- Frédéric Bazille, *Jeune femme aux pivoines* (1870). Huile sur toile, 60 x 75 cm. National Gallery of Art, Washington, États-Unis. Courtesy National Gallery of Art, Washington

- Henri Matisse, *Dame à la robe blanche* (1946). Huile sur toile, 96,5 x 60,3 cm. Des Moines Art Center (Des Moines, États-Unis) ; Don de John et Elizabeth Bates Cowles, 1959.40. © Succession H. Matisse – Photo: Rich Sanders, Des Moines

Achevé d'imprimer en Espagne par CPI Black Print
Dépôt légal n° 08627-2/01 - Août 2023